InteligenteMENTE

feliz

Samia Karime

BARKER & JULES

BARKER ⊖ JULES

InteligenteMENTE feliz

Edición: Barker & Jules Books™
Diseño de Portada: Angelina Peña Reyes | Barker & Jules Books™
Diseño de Interiores: Itzel Roldán López | Barker & Jules Books™

Primera edición - 2021
D. R.© 2021, Samia Karime

I.S.B.N. | 978-1-64789-603-4
I.S.B.N. eBook | 978-1-64789-604-1

BARKER & JULES, LLC
2248 Meridian Blvd. Ste. H, Minden, NV 89423
barkerandjules.com

PRÓLOGO

Empiezo felicitándote por decidirte a adquirir este regalo de bienestar para tu vida, sin duda, este libro se va a convertir en tu mejor aliado, en tu consejero permanente, y me va a permitir llegar a ti como *coach* para impulsarte a materializar tus sueños y experimentar la plenitud que muchos anhelan y pocos saben cómo alcanzarla. Voy a compartir contigo los conceptos más importantes de Psicología Positiva e Inteligencia Emocional, así como los resultados de estudios e investigaciones de expertos internacionales, además te confiaré mis aprendizajes de vida, mis reflexiones más profundas acerca de la felicidad y las herramientas cuya efectividad he comprobado, ya que me han hecho evolucionar, lograr metas, mejorar mis resultados y me han permitido ayudar a miles de personas.

He enfrentado de todo, tanto pérdidas y fracasos, como éxitos increíbles. He tenido grandes retos: a los 21 años, recién egresada de la universidad, grabé mi primer disco; tocando puertas y superando obstáculos logré sacar mi primera producción discográfica. Un tiempo después participé en un *casting* para "Cantando por un sueño", un *reality show* de una cadena de televisión a nivel internacional en el que fuimos seleccionados siete soñadores entre miles de participantes, donde canté a beneficio de una persona que estaba en estado de coma y que requería terapias especializadas de alto costo. Definitivamente fue una experiencia que me permitió crecer, ayudar y, además, celebrar el triunfo del segundo lugar de la competencia. En el 2011, después de tres intentos fallidos, pude hacer realidad el sueño de crear Fundación SerVid por Siempre A.C., que brinda apoyo a personas enfermas de escasos recursos. Años más tarde, tomé la decisión de renunciar a una dirección a nivel nacional que tenía dentro de una empresa, para independizarme e iniciar mi propia consultoría en Desarrollo Humano, "SK Consultores". Aunque me ha costado lágrimas, raspones y cicatrices, la satisfacción es siempre mayor cuando te atreves a dejar la orilla segura para ir a conquistar nuevos horizontes.

Para mí, la vida es como subir una
montaña, si en verdad deseas
llegar lejos y pisar la cima, necesitas
estar dispuesto a poner todos tus
conocimientos, talento y esfuerzo,
dejarte inspirar por Dios y a ser
guiado por otros expertos que
vayan más adelante que tú; saber
escuchar, estar consciente de
cada paso para no perderte en el
camino y, si te llegas a caer, dejarte
ayudar y levantarte con una lección
aprendida, llevar agua suficiente y
todas las provisiones que necesites
para el camino sin cargar de más,
vencer tus miedos para seguir
subiendo y asegurarte de ayudar
a otros a subir contigo para que,
si logras llegar, tengas con quién
celebrar.

Lo que hace único a este libro es que en cada hoja encontrarás un reto, un ejercicio, una dinámica, las más poderosas prácticas que harán que después de leerlo y vivirlo, tengas una mirada nueva, una perspectiva más amplia de las cosas, mayor Resiliencia y un repertorio amplio de posibilidades para construir y lograr la mejor versión de ti.

Te invito a un largo viaje que solamente tú puedes decidir hacerlo, y te aseguro que, si te atreves, estarás dando un paso definitivo en la transformación de tu destino. Ten presente que todo ser humano ha sido diseñado para alcanzar la plenitud y, por lo tanto, está llamado a la grandeza, solo necesita encontrar o crear el momento del impulso que lo haga cruzar la línea de lo ordinario para SER EXTRAORDINARIO.

La Felicidad se aprende, puedes entrenar tu mente para crearla día a día.

En este libro

encontrarás los mejores

RETOS Y EJERCICIOS,

¡una receta en cada página

para SER FELIZ !

CONSTRUYE TU FELICIDAD

Todo ser humano es creado para ser feliz y tiene la capacidad de serlo, solo requiere hacer uso de su inteligencia y voluntad para tomar decisiones segundo a segundo. Somos responsables de lo que pensamos, sentimos, hacemos, amamos y sufrimos.

En todo lo que vivimos existe la oportunidad de crecer, hay algo que vale la pena aprovechar y que tiene el potencial para maravillarnos. El punto de partida es nuestra mente, que influye directamente en nuestros sentimientos y comportamiento, por tanto, es necesario cuidar nuestros pensamientos para dirigir nuestras acciones y asegurar un resultado satisfactorio. Cuando logramos enfocarnos en aquello que sí tenemos, en descubrir el propósito de nuestra vida, en disfrutar cada acierto y aprender en lo adverso, hemos comenzado a hacernos cargo de nuestra felicidad.

La Felicidad no es una meta que algún día vamos a alcanzar, sino un camino que se presenta día a día como opción y hay que elegir recorrerlo. Este camino tiene cinco elementos imprescindibles que constituyen el modelo de Martin Seligman, considerado el principal fundador de la Psicología Positiva. Este modelo se conoce como PERMA por sus iniciales en inglés —PRISMA en español—, y te lo presento a continuación:

INVOLUCRAMIENTO

POSITIVIDAD

METAS ALCANZADAS

PRISMA

RELACIONES
POSITIVAS

SIGNIFICADO

"La felicidad es interior,
no exterior; por lo tanto,
no depende de lo que
tenemos, sino
de lo que somos".
Henry van Dyke

En base a los pilares que te acabo de mostrar, podemos determinar el siguiente Ciclo de felicidad y bienestar:

METAS ALCANZADAS.

Define metas, registra tus avances, saborea y celebra tus logros, ¡prepara el camino para cosechar más!

POSITIVIDAD.

Desarrolla y ejercita tu enfoque, carga tu batería, genera pensamientos positivos ¡todos los días!

SIGNIFICADO.

Ten claro el "para qué" de todo lo que haces y vives. Tu vida tiene un propósito que le da sentido a cada meta y a cada acción que realices.

RELACIONES POSITIVAS.

Encuentra la forma de estar conectado emocionalmente con tu familia y amigos. Sigue la fórmula AAAA: Ama, Agradece, Abraza, Ayuda.

INVOLUCRAMIENTO.

Descubre aquello que más amas hacer, lo que te hace sentir pleno, y DEDÍCALE UN TIEMPO, ¡AGÉNDALO!

Mi compromiso:

DATO IMPORTANTE
SOBRE LA FELICIDAD

Aunque ya conoces los pilares para ser feliz, es necesario que tomes en cuenta algunos factores determinantes que hacen que generar felicidad sea diferente para cada persona dependiendo de su condición, circunstancias, programación, inteligencia emocional, experiencias, e incluso, de la herencia genética de sus padres.

De acuerdo a diversos estudios de investigadores en Psicología Positiva, estos determinantes son:

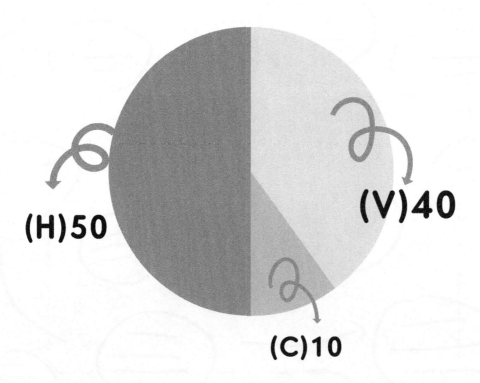

(H)50

(V)40

(C)10

Donde **"H"** corresponde a la configuración ya establecida que adquirimos de manera Hereditaria. Aquí podemos considerar elementos como el temperamento de nuestros padres, que influye directamente en el nuestro, haciendo que presentemos cierta tendencia a la felicidad o a la falta de ella. Por ejemplo, algunas predisposiciones hacia la negatividad o positividad, extroversión o introversión, pasividad o agresividad, etc.

Donde **"C"** tiene que ver con las Circunstancias que enfrentamos día a día, que ciertamente tienen un impacto en nuestra felicidad, aunque mínimo ya que, más que lo que vivimos, lo importante es el significado que le damos y nuestra manera de enfrentar o responder ante ello.

Donde **"V"** son todas las cosas que hacemos por Voluntad propia. Tiene que ver con la actividad intencional que llevamos a cabo en nuestra vida y que afecta positiva o negativamente en nuestra felicidad. Este factor es la clave, ya que incluye las decisiones que tomamos, por lo tanto, está completamente en nuestro control y depende de nosotros. Gracias a este factor podemos provocar de manera intencional pensamientos y acciones orientadas al modelo PERMA (que te acabo de explicar), desarrollar hábitos que crean felicidad y que con el tiempo se adhieren a nuestra personalidad hasta transfigurar nuestra esencia, impactando incluso el factor "H".

Si quieres ser feliz, vigila tus pensamientos y tus decisiones, asegura lo que está en tus manos y sé intencional.

¡Yo voy a guiarte en este proceso!

Si tienes que tomar DECISIONES IMPORTANTES, toma la que TE HAGA FELIZ y no la que te haga ESTAR CÓMODO.

HOY DECIDO:

EMPIEZO CON EL PIE DERECHO

"Empezar con el pie derecho" es una expresión hecha que hace referencia a iniciar el día con positividad. La forma en la que comenzamos un día tiene un importante efecto en el resto de la jornada; así también sucede cuando iniciamos un proyecto o una relación. Muchas veces empezamos el día en forma automática, nos dejamos llevar por la prisa, la rutina, el estrés y los roces naturales que tenemos con las personas que nos rodean, ya sea porque no van a nuestro ritmo, no nos adivinan el pensamiento o porque son diferentes a nosotros, sin embargo, siempre está en nuestras manos elegir el comportamiento proactivo que nos hace responsables de hacer de cada día, el mejor.

La forma en la que comenzamos cada día determina el 70 % de los resultados del resto de nuestra jornada.

Por lo tanto, para tener un gran día, no hay que esperar a que venga, ¡HAY QUE CREARLO!

Ahora vamos al Reto que consiste en definir tu Ritual de arranque.

◈ Toma como guía estas 8 acciones que cambiarán tu día:

1. Bebe un vaso de agua caliente con jugo de limón. *Rehidrata tu cuerpo.*
2. Sonríe frente al espejo por 1 minuto. *Eleva tus niveles de serotonina.*
3. Escucha música con mensaje positivo (escucha mi álbum en Spotify "Vive Intensamente"). *Te enciende.*
4. No aplaces el despertador. *Fortalece tu voluntad.*
5. Tiende tu cama. *Te da el primer logro del día.*
6. Desayuna ligero y saludable. *Te energiza.*
7. Organiza tu día. *Te enfoca.*
8. Escribe 3 cosas por las que te sientes agradecido. *Genera emociones positivas.*

◈ Escribe tu propio Ritual de Arranque, llévalo a cabo diariamente y prueba su eficacia.

◈ Comparte cómo te sentiste y, de esta manera, duplica los beneficios.

"Da el primer paso con fe. No tienes que ver todas las escaleras, solo da el primer paso".
Dr. Martin Luther King Jr.

PLANEO MI DÍA

Una de las razones por las que no logramos nuestras metas es porque no tenemos claras las prioridades ni mucho menos organizamos nuestro día, nuestra semana y nuestra vida con base en ellas. Por eso "procrastinamos" o dejamos las cosas para después, quedándonos sin tiempo para lo importante. Si diseñas tu día ANTES DE EMPEZARLO, escribes tus pendientes, los clasificas según su prioridad (por orden de importancia y urgencia) y evalúas tu desempeño para medir tu avance, ¡ESTARÁS EN LA RUTA HACIA EL LOGRO DE TUS METAS!

El 92 % de las personas nunca llega a lograr sus más grandes metas.

Esto es lo que practicarás el día de hoy, ¡comenzamos!

Mis pendientes	¿Qué Prioridad tiene?	¿Lo realicé?
◈ _____	☐	☐
◈ _____	☐	☐
◈ _____	☐	☐
◈ _____	☐	☐
◈ _____	☐	☐
◈ _____	☐	☐
◈ _____	☐	☐
◈ _____	☐	☐

Tip para determinar la prioridad:

- **PRIORIDAD 1.** Es urgente terminarlo el día de hoy.
- **PRIORIDAD 2.** Es importante terminarlo en esta semana.
- **PRIORIDAD 3.** Es necesario para la próxima semana o después.

CONSTRUYO RELACIONES POSITIVAS

Mantener relaciones sólidas y positivas es uno de los pilares para nuestra felicidad. Fuimos diseñados para hacer comunidad, para estar en conexión con otras personas, y cuando eso no sucede, se ve afectada nuestra salud emocional. El solo hecho de sentirnos solos genera vacíos importantes que pueden conducirnos a diversas enfermedades, hay estudios a nivel mundial que han demostrado que el aislamiento social puede aumentar el riesgo de mortalidad, al mismo grado que el tabaquismo o la obesidad; de la misma manera, se ha descubierto un incremento del 50 % en el riesgo de demencia y se relaciona directamente con enfermedades cardiovasculares, depresión y ansiedad, entre otros padecimientos.

No se trata de tener muchos seguidores en las redes sociales, una gran cantidad de contactos en tu celular, conocer o estar rodeado de mucha gente, ¡eso no salva del aislamiento! No es la cantidad, sino la calidad de tus relaciones, la fuerza de tus conexiones y la calidez que brindas a tus interacciones diarias con los demás. Evita las relaciones superficiales, por conveniencia, y deja de esforzarte más por mantener tus redes sociales que tus redes de apoyo cercanas e íntimas.

En lo personal, he trabajado de manera intencional para desarrollar esta inteligencia social y ese es uno de los secretos para mantenerme energizada y plena. Mi espiritualidad ha sido fundamental, sentirme amada por Dios y, por tanto, capaz de amar a quien encuentre en mi camino, por eso busco en la medida de lo posible el contacto con la gente, mirar a los ojos, conectar profundamente con sus emociones para lograr empatía, abrazar fuertemente, sorprender gratamente, reconocer cualidades con sinceridad. Más que hacer relaciones, se trata de cultivarlas, aportando, sumando y generando valor a la vida de los demás.

 Te propongo este ejercicio de reflexión para manejar tus relaciones de manera consciente y constructiva.

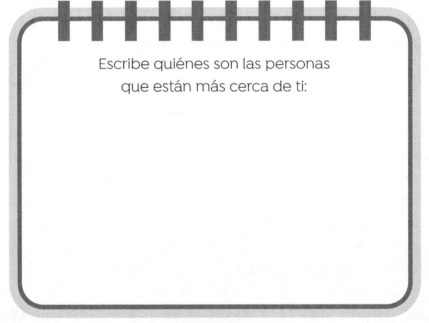

Escribe quiénes son las personas
que están más cerca de ti:

¡ACCIÓN!
Asegúrate de mantener la armonía.
Valora su presencia, dales tu escucha y tu abrazo.

Escribe quiénes son las personas que te
procuran aunque tú no estás tan cerca de ellas:

¡ACCIÓN!

Acércate y dedícales un tiempo.

Exprésales agradecimiento.

Sorprende con un detalle.

Escribe quiénes son las personas
con las que no mantienes buena relación
o tienes algunas fricciones:

¡ACCIÓN!

Si ya NO están en tu vida: Perdona y libérate

Si aún están contigo: Rompe barrera,

pide perdón y haz algo lindo por ellas.

DOMINO MI MONSTRUO INTERIOR

Todos tenemos monstruos que viven dentro de nosotros, que nos hacen caminar con miedos o incluso detenernos. Estos monstruos se formaron desde que éramos niños. Muchas veces se fortalecen con el tiempo porque los alimentamos de manera inconsciente y llegan a ser más grandes que nuestros sueños, que nuestros deseos o metas; otras veces los hemos mantenido ahí medio dormidos y no queremos hacer ruido para que no despierten, sin embargo, están presentes.

Dejando a un lado el sentido figurado, te comparto algunos ejemplos de estos "monstruos" que no son más que rasgos de tu temperamento que traes desde tu nacimiento por herencia, o bien, rasgos de tu personalidad que adquiriste principalmente en tus primeros años de vida: pasividad, pesimismo, perfeccionismo, apatía, desidia, desorden, nerviosismo, etc.

Estos monstruos han sido enemigos de nuestro crecimiento, y la realidad es que no podemos eliminarlos dada la fragilidad de nuestra naturaleza, además, son un reto para nuestro desarrollo personal y la alternativa que tenemos es primero aceptarlos para luego enfrentarlos con valor y dominarlos por completo hasta que lleguen a colaborar con nuestro proyecto. Estar conscientes de su existencia es lo más importante, es la mitad del camino, lograr identificarlos para vencerlos o hasta llegar a utilizarlos con inteligencia.

La batalla más
importante la tienes
todos los días y es
"contigo mismo".

Llegó el momento de enfrentar, solo sigue las instrucciones de este ejercicio y prepárate para vencer.

1. Identifica uno de tus monstruos internos y escríbelo aquí: _____

2. Lleva una bitácora durante la semana de los momentos en que se manifiesta.

3. Finalmente, revisa las ocasiones en que pudiste vencerlo y seguiste adelante en control. Por una sola en que lo hayas vencido puedes premiarte y, si no, hay que intentarlo hasta lograrlo.

4. Puedes seguirte midiendo para asegurar que vayas mejorando.

"La curiosa paradoja es que cuando me acepto tal como soy, entonces puedo cambiar".
Carl Rogers

Puedes utilizar el siguiente formato:

Semana: _____

Fecha	Situación ¿Qué lo despierta?	Vencido (Sí/No)	Resultado ¿Cómo te sientes?

ELIJO AGRADECER

La GRATITUD transforma a las personas y es una virtud que debe ser vivida, aprendida, cultivada y enseñada. Dale Carnegie, en su conocido libro *Cómo ganar amigos e influir sobre las personas*, señala que **expresar agradecimiento** es uno de los principios fundamentales. La gente que expresa asiduamente gratitud tiene más optimismo, ayuda más a otros, tiene mejor estado de ánimo, es más saludable. Una investigación realizada en la Universidad de California detectó que las personas que diariamente cultivan **la gratitud** experimentan mayor bienestar físico, pues se reduce la hormona del estrés, que es el cortisol, en más del 20 %. Cuando nos sentimos agradecidos estimulamos el lado prefrontal izquierdo del cerebro, que es el lugar que presenta mayor neuroactividad cuando experimentamos felicidad u otras emociones de poder, como esperanza, gozo o serenidad. La gratitud implica enfocarnos en lo que sí tenemos, en lugar de ver lo que perdemos o no obtenemos, en consecuencia, nos hace mantener una actitud positiva, ver el vaso medio lleno, contemplar el sol entre las grises nubes o apreciar la rosa aunque tenga espinas, disfrutar de las personas que nos rodean resaltando sus virtudes, comprendiendo sus defectos o aceptándolos con tranquilidad.

Es abismal la diferencia en la actitud y, por ende, los resultados que obtiene la persona que tiene el hábito de agradecer, frente a la que se queja todo el tiempo. Hace algunos años, en uno de los hospitales donde visito enfermos con mi fundación, encontré a Carolina, una mujer de 45 años que tenía 2 meses de haber perdido a su madre y, desde entonces, su cuerpo no aceptaba alimento. Los médicos no encontraban la causa, pues el problema no estaba en su cuerpo, sino en su mente, ella había elegido morir también; Carolina manifestaba con palabras y con su comportamiento su dolor, su coraje, su frustración por lo que había vivido... Meses más tarde, su deterioro era tanto que murió y dejó huérfanos a sus 2 hijos. El mismo día en que la conocí, en otro cuarto del hospital se encontraba Amalia, una mujer de 48 años procedente de San Luis Potosí, México. Ella estaba lejos de su familia, no tenía a nadie, se dedicaba a vender tacos en las calles y desde niña había padecido de problemas cardíacos, por lo cual necesitaba con urgencia un marcapasos. No tenía posibilidades de adquirirlo por su elevado costo, no tenía propiedades ni bienes para obtener recursos, no tenía salud para poder trabajar, pero ¡SÍ TENÍA una fe y una fuerza interior sorprendentes! Todavía recuerdo sus palabras: "Me siento agradecida por todo lo que he vivido y siento que todavía puedo ir por mucho más, así que estoy segura de que conseguiré ese marcapasos de alguna manera, tocando puertas, estas se abrirán". Cuando presencié esa actitud y gratitud, salieron lágrimas de mis ojos y enseguida le comuniqué a mi equipo, se movilizaron inmediatamente y logramos conseguir ese marcapasos. ¡La operación fue todo un éxito y Amalia regresó a su vida para ir por más! Agradecer funciona como un motor interno y, de paso, beneficia e inspira a los que caminan con nosotros.

Te reto a ponerte los lentes de la GRATITUD y ver los milagros a tu alrededor, ¡HAZ LA PRUEBA Y VERÁS!

Vas a ser intencional y comenzarás a dar las gracias por todo durante un tiempo determinado, yo te recomiendo que lo hagas por un día completo:

Al abrir tus ojos en la mañana: ¡Gracias por un nuevo día, porque respiro y tengo vida en mí!

Al levantarte: ¡Gracias por la bendición de moverme!

Al vestirte: ¡Gracias porque tengo la oportunidad de elegir qué ponerme!

Al salir de casa: ¡Gracias por la libertad, por el cielo, por el sol que calienta mi día!

Al comer: ¡Gracias porque tengo comida en la mesa y puedo disfrutar el sabor de la comida!

Al trasladarte: ¡Gracias porque cuento con lo necesario para trasladarme!

... Y continúa agradeciendo de manera específica por cada cosa.

Escribe tu experiencia, ¿cómo te sentiste? ¿Qué emociones te generó?

CAMBIO MIS CREENCIAS

¡Eres aquello que crees! Tu realidad refleja tu mentalidad, tu calidad de vida es resultado de la calidad de tus pensamientos. Si la situación que estás viviendo no es la que deseas, el primer paso es cambiar tu forma de pensar. Tus pensamientos recurrentes sobre ti mismo, los demás, el mundo, la vida, etc., determinan tus emociones y tu actitud. Dentro de ti hay creencias limitantes que obstaculizan tu crecimiento, pues están construidas sobre tus miedos, y también hay creencias potenciadoras que son pensamientos positivos que te impulsan y empoderan.

Una creencia es como una semilla que se siembra en tu mente y tarde o temprano produce algo. Si quieres que el fruto sea agradable, saludable, bueno, es importante que cuides la semilla. Depende de ti creer qué cosas negativas te van a suceder o creer qué cosas positivas vienen para ti, ¿qué eliges? Recuerdo hace varios años cuando mi abuelo materno fue diagnosticado con cáncer, que de acuerdo al informe médico era "el más agresivo"; él nos reunió una tarde de viernes en su casa para comunicarnos la noticia y tengo grabadas en mi mente cada una de sus palabras: "Quiero compartirles que tengo cáncer, pero necesito que estén tranquilos porque vamos a vencer esta enfermedad, Cristo y yo somos mayoría aplastante". Esta actitud no brota de la nada o por arte de magia, esta afirmación positiva es el efecto de creencias potenciadoras bien plantadas en él, que ayudaron al tratamiento y a que, años más tarde, pudiéramos celebrar su triunfo sobre el cáncer. Y tú, ¿con qué actitud haces frente a la adversidad? ¿Cómo son las creencias que te constituyen?

Te muestro algunos ejemplos:

CREENCIAS LIMITANTES	CREENCIAS POTENCIADORAS
Esto es más fuerte que yo	**Estoy listo(a) para vencer**
Me haría feliz que mi esposo me amara	**La felicidad está dentro de mí, hoy elijo ser feliz**
Siento que todo está en mi contra	**El mundo es un lugar maravilloso y puedo disfrutarlo**
No soy tan bueno en lo que hago	**Puedo conseguir todo lo que me propongo**
Siempre termino haciendo todo yo	**Enfrento mis obligaciones con responsabilidad y conciencia**
No me siento capaz	**Estoy preparado para llevar a cabo este proyecto**
Creo que todo lo malo me sucede a mí	**Voy a aprovechar esta oportunidad para crecer y evolucionar**
Nunca he podido con retos así	**Confío plenamente en mí**

CREENCIAS LIMITANTES	CREENCIAS POTENCIADORAS
Tengo miedo a que algo malo pase	**Puedo resolver cualquier contratiempo que surja**
Me siento solo(a)	**Todo lo puedo en Cristo que me fortalece**
Me preocupa mi tendencia a engordar	**Puedo hacer ejercicio para mantenerme saludable**

 Este Reto consiste en elegir con consciencia el tipo de creencias que quieres que gobiernen tu vida..., recuerda que tus resultados y bienestar dependerán de ellas.

1. Identifica las principales creencias limitantes o pensamientos negativos que constantemente hay en ti.

2. Escribe tus **5 nuevas creencias potenciadoras**:

 1

2

3

4

5

3. Repite las nuevas creencias por lo menos 10 veces cada día, en voz alta, y cuando puedas hazlo frente al espejo; esto hará que se instalen en tu pensamiento y sean parte de ti.

¡Prepárate, porque esto apenas está comenzando!

NOTA DE AGRADECIMIENTO

¡La gratitud es la memoria del corazón!

Para:

"LA GRATITUD ABRE LA PLENITUD DE LA VIDA. CONVIERTE LO QUE TENEMOS EN SUFICIENTE, Y MÁS. CONVIERTE LA NEGACIÓN EN ACEPTACIÓN, EL CAOS EN ORDEN, LA CONFUSIÓN EN CLARIDAD. PUEDE CONVERTIR UNA COMIDA EN UNA FIESTA, UNA CASA EN UN HOGAR, UN EXTRAÑO EN UN AMIGO".

MELODY BEATTIE

¿Cuáles son las 3 cosas que agradezco haber vivido hoy?

LIMPIO MI ESPACIO

¿Sabias que mantener tu casa en orden impacta positivamente en tu vida?

El orden y la limpieza van de la mano con la salud y el bienestar total. Cuando haces limpieza y reduces la cantidad de cosas que tienes o que acumulas, entonces "desintoxicas" tu entorno y esto se expande a tu vida, obteniendo como consecuencia la disminución de ansiedad y estrés, el incremento en tus niveles de energía, además de una mente más creativa y una vida más ligera. ¡HAZ LA PRUEBA!

Te explicaré paso a paso este ejercicio.

1. **COMIENZA POR TU HABITACIÓN,** aunque es un área retadora porque ahí tienes lo más personal, ropa, zapatos, perfumes, fotos, adornos, recuerdos y cosas de gran valor sentimental para ti. Es el lugar más íntimo, uno de los más importantes y uno de los que más influyen en ti. ¡Vas por buen camino!

2. **ELIMINA TODO LO QUE NO USAS NI NECESITAS.** Desecha lo que no hayas usado por un año, y cuando encuentres cosas que te hagan dudar si desecharlas o no, te recomiendo guardarlas en una caja y regresar a ella 6 meses después.

3. **INVITA A TU MEJOR AMIGO** o a un amigo cercano que te conozca y a quien le tengas confianza para que te ayude contra la "ceguera de taller", es decir, que pueda ver lo que tú no ves, ya sea porque estás acostumbrado al desorden o porque las emociones te restan objetividad.

4. **SEPARA POR CATEGORÍAS.** Ubica todo lo que pertenezca a una misma categoría y colócalo en un mismo lugar, eso, al final, te ayudará a saber cuántas cosas tienes de cada categoría y podrás desechar, limpiar y organizar con mayor facilidad.

5. **EMPIEZA POR LO MÁS SENCILLO** como ropa y zapatos, después puedes continuar con libros, papeles u otros objetos..., en este punto, aprovecha para separar todo aquello que esté en buen estado y que puedes regalar a quien tenga necesidad, ¡te servirá para realizar un acto de generosidad que multiplicará el efecto de este ejercicio! Deja por último todo lo que tenga un valor sentimental para ti, como por ejemplo cartas, regalos, fotografías, etc. Conserva aquello que pueda servir para animarte, define la cantidad de recuerdos con los que te quedarás, y a lo que deseches tómale una foto para guardarla en tu computadora o disco externo.

6. **DETERMINA HÁBITOS PARA NO VOLVER A ACUMULAR.** La clave es mantener limpio y despejado tu espacio, conservar el orden y crear un nuevo estilo de vida. Una opción es que cada día deseches un artículo para que la limpieza sea constante, siempre hay algo que renovar, que regalar o que eliminar para vivir más ligeros. Lo que a mí me funciona de maravilla es que cada vez que adquiero algo nuevo, me desprendo de algo viejo, así ejercito constantemente el desprendimiento. También intenta ya no saturarte de papelería, por ejemplo, habla con los bancos de los que te lleguen estados de cuenta para que no te los manden impresos y utiliza mejor las aplicaciones, ¡le harás un bien al planeta!

CUANDO NO
TE PUEDES DESHACER DE ALGO.

• Reflexiona, ¿qué te motivó a tener ese objeto en un principio? ¿Qué papel desempeña en tu vida? Si tienes ropa que nunca usaste, encuentra la razón..., ¿la compraste porque te gustó en la tienda, pero ya no?, ¿se le veía bien a alguien más, pero no es tu estilo? Si te diste cuenta de que no te gusta o no es tu estilo, no te aferres a ella. A mí me sucedía que guardaba la ropa que compraba para una ocasión especial que por lo general no llegaba, y finalmente cuando la quería estrenar ya no me quedaba, había pasado de moda o simplemente se había deteriorado en el clóset, entonces aprendí que si no la usé en un año, debía dejarla ir para ayudar a alguien más, también aprendí que en la vida no hay que esperar el momento perfecto, sino que hay que salir a crearlo.

- A algunas personas les cuesta deshacerse de libros porque piensan que algún día los leerán o los terminarán. Ten presente que el verdadero propósito de un libro es ser leído, no estar en una repisa, así que revisa cuáles en verdad leerás y los demás puedes repartirlos entre tus amigos (tú los conoces y sabes cuál les servirá) o pídeles que elijan el que les interese, también puedes anunciarlos en tus redes sociales para que sea leído por alguien más, ¡será un excelente regalo!

- Puedes hacer un bazar con todo lo que vas a desechar, piensa que te puede servir más el dinero que seguir almacenando ese objeto. Dependiendo de tu situación, puedes aprovechar lo que recaudes para cubrir alguna necesidad inmediata, o bien, puedes encontrar una bella causa para donarlo.

ELIJO AMARME

Como lo explicaba anteriormente, la Autoestima es la base de nuestra felicidad, es la que da soporte a nuestra vida, es la que nos hace sentir seguridad al dar un paso, es la que nos permite desarrollarnos en un trabajo o en la vida diaria y tener buenos resultados. Hay diversos factores que influyen en el fortalecimiento de la Autoestima y hoy trabajaremos con otro de ellos que es el **AUTOCONCEPTO**. Sin duda, la persona que está en guerra consigo misma estará en guerra con el mundo, pues quien no se acepta a sí mismo o no se agrada comienza a manifestar inconformidad con todo y todos, nada le complace y mira principalmente los defectos en lo que le rodea. Simplemente damos lo que tenemos dentro.

Las personas que tienen un concepto positivo de sí mismas ven su futuro con esperanza, confían en su capacidad, conocen sus fortalezas y se impulsan en ellas, aprecian lo bueno en los demás, por lo tanto, les abren puertas. Buscan hacer lo correcto, ser abiertos y honestos. Se podría decir que tienden a diferenciarse por su seguridad.

- **Conócete:** Te darás cuenta de que eres una persona esencialmente maravillosa, tal como eres ahora mismo con todas tus imperfecciones que le darán sentido a tu desarrollo. El autoconocimiento es un camino que se recorre cada día y son los cimientos para seguirte construyendo.

- **Acepta y Ama los rasgos que menos te gustan en ti:** Si te enojas por lo que no te gusta de ti o te castigas por lo que haces mal, solo refuerzas tu enfoque en lo negativo.

- **Hazte responsable de ti:** Nunca podemos culpar a nadie de nuestra negatividad o de nuestra inseguridad. No eres víctima, deja de asustarte o de enojarte al culpar a alguien más, empieza a sentirte responsable para mejorar tu situación.

- **Sé amable contigo:** Una forma segura de crecer es aprendiendo de nuestras caídas y errores, ¡por eso acéptalos y ámalos! Sé paciente contigo, crecer es un proceso que lleva su tiempo, así como un árbol tarda en dar fruto y una flor en florecer.

- **Celebra tus triunfos:** En todo momento, cuando emprendas algo, cuando logres algo, cuando aprendas algo, cuando decidas algo, elógiate por haberlo hecho lo mejor que pudiste en ese momento. Si no te llena el resultado, gózate en lo aprendido y en la experiencia adquirida.

El reto consiste en escribir tu declaración de AUTOACEPTACIÓN:

1. Puedes empezar leyendo el siguiente párrafo a manera de entrenamiento:

2. *"Hoy decido amarme y me acepto tal y como soy, elijo sentirme feliz, me siento capaz de cuidarme y de cultivar pensamientos que me hagan florecer; disfruto mi vida, abrazo mi presente y me deleito en mis virtudes. Elijo sentirme bien y hacerme cargo de mis decisiones..."*

3. Ahora busca un espacio sin distractores, **inspírate** y escribe el tuyo...

4. Repítelo primero en tu interior, luego en voz baja y, por último, en voz alta frente al espejo.

GENERO INSPIRACIÓN

Existen diez emociones de poder que nos ayudan a mantener la positividad y despiertan la felicidad en nuestro cerebro; con mi libro podrás conocer y generar cada una de ellas. Hoy es el turno de la **inspiración** y primero te invito a revisar estas definiciones:

1. Es el proceso de ingresar aire a tus pulmones por la nariz.
2. Estímulo que anima la labor creadora.
3. Estado emocional intrínseco y momentáneo, en el que de manera concentrada experimentamos sentido y nos vemos motivados a actuar.

Si unimos los conceptos, desde lo básico hasta lo sublime, podemos darnos cuenta de que despertar esta emoción nos hace experimentar motivación desde el interior y nos ayuda a sentirnos fuertemente impulsados a crear o a actuar, como si recibiéramos una carga de oxígeno para nuestra alma.

Te dejo 15 opciones maravillosas para generar esta emoción:
1. Platica con alguien que admires
2. Siéntate en una banca de un parque y observa la naturaleza
3. Vuelve a leer tu libro favorito
4. Disfruta una película con buen mensaje
5. Mira fotos que tienes con tu familia y amigos
6. Escribe alguna nueva meta personal o profesional

7. Escribe tus logros del año

8. Renueva tu *curriculum vitae*, actualízalo con tus logros

9. Inscríbete en un curso nuevo, algo que llame tu atención

10. Realiza un acto de generosidad, ayuda a alguien que lo necesite

11. Planea un viaje, no importa que sea para el próximo año

12. Lee un artículo interesante en Internet

13. Haz algo que te encante (pinta, canta, toca un instrumento, escribe, etc.)

14. Lee biografías de personas que sean ejemplo de superación

15. Practica la meditación

 ¡El Reto ahora es hacerlo posible!

Elige la que más te guste de las opciones y escríbela aquí:

Ahora empieza a ejecutarla, si no te es posible en este momento, asigna día y hora dentro de esta semana.
Regresa y cuéntame todo lo que experimentaste al darte esta oportunidad.

Mi resultado al generar inspiración:

¡TENER INSPIRACIÓN
y mantenerte con vida
depende de ti!

CUMPLO MIS SUEÑOS

Uno de mis sueños es:

_____

Mi siguiente meta para empezar a hacerlo realidad:

_____

Me comprometo a lograrla el día:

_____

Identifico que necesito:

_____

Mi primer paso es:

_____

"SI" TUS SUEÑOS NO TE ASUSTAN NO SON SUFICIENTEMENTE "GRANDES"

RICHARD BRANSON

EXPRESO MI GRATITUD

Expresar agradecimiento es mucho más que decir "gracias", es una fuerza interior que te mueve a apreciar lo bueno, reconocerlo, valorarlo y sentirte tan profundamente emocionado por ello que no puedes esconderlo. Expresar gratitud tiene múltiples beneficios, produce felicidad, fomenta relaciones más satisfactorias, desarrolla el enfoque positivo, produce paz interior y una explosión de emociones de poder.

Como un regalo que compras y envuelves para después entregarlo, así también la gratitud necesita ser expresada para que valga y puedas disfrutar de sus maravillosos efectos, por lo que, si en tu familia son "muy secos" o si te has repetido que eres una persona "fría" y no estás acostumbrado a expresar, si te traicionaron o decepcionaron y amenazas con haber "endurecido tu corazón"... HOY ES TIEMPO de un cambio significativo y de fondo que traiga bienestar a tu vida, recuerda que todo lo aprendido se puede desaprender, que puedes acostumbrarte a cosas distintas, que puedes perdonar cuando haga falta y siempre puedes elegir ser una persona agradecida.

¡Ahora te invito a vivir esta aventura que impactará tu vida! Sigue las instrucciones del Reto:

1. ¿A quién te gustaría agradecer hoy?
2. Ahora piensa por qué te gustaría agradecerle: por un gesto que tuvo, una palabra, un momento especial, algo que hacía mientras ni siquiera se daba cuenta o por algo bello que trajo a tu vida.
3. Vas a enviarle un mensaje, elige la forma y el medio: un *post-it*, una foto, un trozo de papel, una grabación de audio, un pequeño regalo, un diploma o lo que nazca de tu inspiración, ¡usa tu creatividad!
4. Sé específico al plasmarlo, para que quede claro cuánto valoras eso que ha hecho o dicho y lo agradecido o agradecida que estás por ello, PONLE FECHA.
5. Colócalo en algún sitio entre las cosas que usa cotidianamente, para que lo encuentre y se sorprenda (no lo escondas demasiado): dentro de un calcetín, en su cartera, en la mochila del gimnasio, a un lado de su perfume, en la bolsa de sus cosméticos, etc.

Solo por haber experimentado este proceso de valorar las cosas buenas, reconocer a las personas, sentir agradecimiento hacia ellas y escribirlo, ya estás produciendo bienestar en ti, y cuando compartes esa gratitud y la persona encuentra la sorpresa, **estarás además regalando felicidad**. Para que los efectos sean más potentes te recomiendo hacer este ejercicio frecuentemente, puede ser cada semana o cada mes, como una buena práctica de gratitud en tu vida.

Cuando te hayas dado la oportunidad de esta experiencia, escribe aquí cómo te sentiste, qué emociones te generó, qué impacto tuvo en tu vida. Si prefieres dibujarlo, ¡ADELANTE!

"Demos gracias a las personas que nos hacen felices; son los adorables jardineros que hacen florecer nuestras almas".
Marcel Proust

PRACTICO NO JUZGAR

¿Tienes la habilidad de disfrutar lo que vives sin juzgarlo? ¿Puedes conocer a alguien sin hacer un juicio? ¿Eres capaz de ver un programa, película o serie sin evaluar su contenido? ¿Puedes actuar o tomar una decisión sin sentirte inconforme porque pudo haber sido mejor? ¿Te miras en el espejo sin criticarte?

Una de las principales causas de este comportamiento son los miedos que hay en nosotros, y con el afán de "protegernos", en automático descalificamos personas, lugares, cosas o situaciones llegando a colocar etiquetas negativas, quitándonos perspectiva y la oportunidad de deleitarnos. Dejar de juzgar es una actitud **Mindfulness** que te libera de estrés, del perfeccionismo y te coloca en el sorprendente y gratificante camino de la aceptación. Para hacer posible esto, es imprescindible soltar viejas creencias limitantes, dejar ir nuestras convicciones sobre lo que es "bueno" o "malo" porque finalmente solo tenemos la realidad que alcanzamos a percibir y estamos limitados a nuestra experiencia. Un ejemplo claro de esto es cuando a una persona la diagnostican con "cáncer"; por las creencias que tiene basadas en lo que ha escuchado, visto o leído, será suficiente para autodeclararse desahuciada. En cambio, vivir la enfermedad "desde cero", sin juzgarla como lo peor, evitará el secuestro emocional y permitirá construir una nueva historia un día a la vez.

Ten cuidado de confundir la aceptación con la resignación, la primera es positiva, pues te abre a recibir con paz, mientras que la segunda es negativa pues genera frustración, enojo e insatisfacción. Siempre hay dos alternativas: puedes abrazar lo que llega a tu vida y decidir amar lo que tienes o puedes recibirlo porque "no hubo otra opción" y quejarte por lo que no tienes.

 Atrévete a hacer el siguiente ejercicio de Mindfulness.

Consiste en ESCUCHAR SIN JUZGAR, para experimentar gozo y serenidad, amor y gratitud... Será difícil las primeras veces, pero ya que percibas la delicia de mirar lo positivo, ¡TE ENCANTARÁ!

1. Lo que vas a hacer es ver una película, puedes escoger alguna que no hayas visto y no sea del género que acostumbras o alguna que ya viste y no fue de tu agrado, o bien, un panel de expertos que hablen de un tema con el que no estés de acuerdo.

2. Escucha y notarás que los juicios empiezan a surgir en tu mente. ¿Puedes simplemente escuchar a la gente diciendo cosas aunque para ti estén equivocadas? Acéptalo sin que eso tome control de tus emociones, sin que te cause enojo ni molestia. Se trata de transitar el momento y disfrutarlo como lo haría un niño, recorrer el trayecto contemplando el paisaje sin importar cómo sea.

Recomendaciones básicas:

- Utiliza frases como "yo creo que", "yo he interpretado", "en mi opinión considero" o "para mí", que te van a permitir expresarte desde tu perspectiva, tus gustos, tu experiencia y tus creencias, sin la necesidad de imponer porque no eres dueño de la verdad absoluta y además ese afán de control atenta contra tu salud emocional y bienestar en general.

- Evita asignar una calificación a lo que pasa, cuestionar lo que dicen los demás, criticar según tu filtro o condenar actitudes de los demás por ser diferentes a las tuyas.

- Sé capaz de alegrarte porque hay diversidad de pensamientos y de puntos de vista, sabiendo que todos complementan una verdad y enriquecen un tema.

"Para SER FELIZ
no busques ni esperes
el momento perfecto,
simplemente toma
el momento y
HAZLO PERFECTO".

REVISO MI NIVEL DE AUTOESTIMA

La Autoestima es la base de nuestra felicidad, es la que da soporte a nuestra vida, es la que nos hace sentir seguridad al dar un paso, es la que nos permite desarrollarnos en un trabajo o en la vida diaria y tener buenos resultados. Para mejorar algo, es necesario medirlo para conocer el punto de partida, pues lo que no se mide no se controla y lo que no se controla NO SE MEJORA.

Contesta el siguiente test con total honestidad y conforme a lo que vives cotidianamente:

	A. Todo el tiempo	B. Muy seguido	C. Rara vez	D. Nunca
1. Siento que soy una persona valiosa, tanto como las demás.				
2. Estoy convencido(a) de mis cualidades y talentos.				
3. Soy capaz de hacer las cosas tan bien como la mayoría de gente.				

	A. Todo el tiempo	B. Muy seguido	C. Rara vez	D. Nunca
4. Me refiero hacia mí mismo(a) con palabras positivas.				
5. En general, estoy satisfecho(a) y feliz conmigo mismo(a).				
6. Siento que no he logrado muchas cosas en mi vida.				
7. En general, me inclino a pensar que estoy fracasando.				
8. Me gustaría poder sentir más respeto por mí mismo.				
9. Antes de empezar a hacer algo, pienso que no podré.				
10. Creo que no soy tan buena persona.				

De 1 a 5:		De 6 a 10:	
A	4	A	1
B	3	B	2
C	2	C	3
D	1	D	4

Cada una de tus respuestas, A, B, C o D tiene un valor numérico de acuerdo a la tabla de la izquierda.
Realiza la suma de todos tus resultados y escribe el TOTAL en este cuadro.

Puntuación entre 0 y 25: Tu autoestima es baja.

Piensa que al sentirte de esta manera estás poniéndote obstáculos a ti mismo(a) y eso te frena para conseguir tus metas, lo cual a su vez genera inseguridad. Es urgente que empieces a ver tu lado positivo, tus virtudes y lo bello que hay dentro de ti, que tengas presente lo que haces bien, ya que el primer paso para que los demás te valoren es que tú encuentres atractiva tu forma de ser. Empieza a trabajar en tu autoconfianza, escribe afirmaciones positivas sobre ti, date la oportunidad de conocer tus fortalezas y te recomiendo de manera especial que trabajes en los ejercicios de las páginas 34, 46, 182, 195 y 198.

Puntuación entre 26 y 29: Tu autoestima es normal.

El resultado indica que tienes suficiente confianza en ti mismo. Eso te permitirá afrontar la vida con cierto equilibrio, imprescindible para asumir las dificultades del camino. ¡No cambies, sigue así!

Puntuación entre 30 y 40: Tu autoestima es buena, superior a lo normal.

Crees plenamente en ti y en tu trabajo y eso te da bastante fuerza, te hace sentir una gran seguridad. Solo ten cuidado para que mantengas la humildad, agradece conscientemente a quienes participan en tus logros y admira constantemente las cualidades de los que te rodean, valorando y reconociendo lo positivo en cada persona.

LA FELICIDAD

NO SIGNIFICA

QUE TODO SEA PERFECTO,

SIGNIFICA QUE HAS

DECIDIDO

MIRAR más allá
de las imperfecciones.

¿QUÉ ME AGRADEZCO A MÍ MISMO(A)?

ME DOY UN REGALO

¿Has dado algún regalo? Regularmente damos obsequios a las personas cuando celebran un momento especial como un cumpleaños, boda o aniversario, cuando queremos quedar bien o reconocer a alguien, fortalecer una relación o simplemente para demostrar nuestro amor. Esto regularmente despierta emociones agradables en las personas que los reciben porque va implícito que pensaste en ellas, invertiste tiempo, seguramente dinero, muchas veces hasta diseñaste una estrategia para investigar lo que desean o necesitan.

Si obsequias regalos a otras personas, ¿por qué no darte un regalo a ti?

Te doy algunas ideas de regalos para ti:

VALE DE REGALO
ME VOY DE VIAJE

VALE DE REGALO
LIMPIEZA FACIAL

VALE DE REGALO
VEO UNA PELÍCULA QUE YO ELIJO

VALE DE REGALO
UN DÍA DE PICNIC

VALE DE REGALO
CAMBIO DE LOOK

VALE DE REGALO
DISFRUTO MI COMIDA FAVORITA SIN REMORDIMIENTO

VALE DE REGALO
DESAYUNO CON MIS AMIGAS

VALE DE REGALO
COMPRO UN LIBRO

VALE DE REGALO
JUEGO CON MIS HIJOS

VALE DE REGALO
UN RATO DE LECTURA

VALE DE REGALO
COMPRO ROPA

¡Llegó el momento de darte el regalo! A continuación, te explico el siguiente Reto:

1. Elige **4 regalos** de las opciones que te di o algo que sabes que te encanta y/o necesitas.

2. Escríbelos en los cupones con fecha tentativa.

VALE DE REGALO

Regalo:

Fecha:

VALE DE REGALO

Regalo:

Fecha:

3. Agenda en tu calendario y asegúrate de reservar el día y el tiempo necesario para brindarte los 4 regalos que has elegido.

INVIERTO EN LOS DEMÁS

Para mantener relaciones positivas y estables, resulta muy poderoso conocer y utilizar la "cuenta bancaria emocional", un concepto muy descriptivo, una metáfora maravillosa, que nos deja claro que cosechamos lo que sembramos en las personas. También considera que la reciprocidad es un detonador de la persuasión, es decir, que si tú aportas valor a la vida de alguien, automáticamente ejerces influencia sobre su vida.

Ahora sí comienzo a explicarte este modelo: Con cada una de las personas que conoces, abres una "cuenta emocional" y así como una cuenta bancaria, puede estar en saldo positivo o negativo, según el manejo que tengas. Cuando tenemos cuentas en números verdes, entonces mantenemos relaciones con armonía y eso aporta a nuestra felicidad, de lo contrario, los números rojos en nuestras cuentas emocionales con las personas nos provocarán conflictos constantes y relaciones destructivas.

Tenemos dos opciones en nuestras relaciones:

 ◈ INGRESAR a la cuenta. Sucede cuando provocas sensaciones positivas en las personas, inviertes tu tiempo en ellas, las respetas, les das tu atención, tu mirada, tu sonrisa, tu escucha, tu cariño, tu confianza, cuando les brindas comprensión, perdón y ayuda desinteresada.

◈ RETIRAR de la cuenta. Sucede cuando provocas sensaciones negativas en los demás, les generas molestia o incomodidad, lastimas de alguna manera su corazón, ya sea por una ofensa, por anular su opinión, dar la espalda o la falta de atenciones y cariño. Puedes llegar a vaciar la cuenta bancaria o hasta dejarla en saldo en contra.

 Hoy el Reto es depositar: Supera las expectativas de una persona y sorpréndela.

1. Para esto, lo primero que necesitas es determinar quién será la persona afortunada, ¡elígela!

2. Si es muy cercana a ti seguramente conoces sus gustos, lo que le emociona, lo que necesita... Si es una persona que no conoces o tienes poco tiempo conociéndola, entonces asegúrate de que sea algo universal para no fallar, y si tienes oportunidad de investigar lo que le gusta, ¡adelante!

3. Despierta tu creatividad para que sea algo diferente, original e innovador; si puede llevar tu sello personal, mucho mejor. Algo que te obligue a planificar por adelantado y a enfocar tu energía para asegurar el impacto que quieres conseguir con ello.

Cuando te hayas dado la oportunidad de esta experiencia, regístrala aquí, escribe cómo te sentiste, quién fue la persona elegida y qué decidiste regalarle, qué emociones te generó, qué impacto tuvo en tu vida.

Describe con detalle, ¡lo disfrutarás!

VIVO EL PRESENTE

La vida es aquello que pasa mientras estás haciendo otra cosa, es decir, que estamos tan distraídos en los quehaceres diarios que pasamos por alto las infinitas bendiciones que recibimos segundo a segundo, tenemos las manos ocupadas en cosas que no soltamos del pasado, culpas, añoranzas o en lo incierto del futuro, que no podemos recibir los regalos del presente. Desde hace años, surgió la filosofía Mindfulness, que contempla la práctica de la meditación, entre otros recursos para llevarnos a vivir el "aquí y ahora", a estar completamente implicados en el momento presente, conscientes de los pensamientos y emociones del instante. Esta es una eficaz herramienta para controlar el estrés, ansiedad o depresión, reduciendo los niveles de cortisol (la hormona del estrés) y, como consecuencia, la presión arterial, fortaleciendo el sistema inmunológico y aumentando la capacidad de atención, de concentración y la productividad.

> Vivir atentos al presente
> de manera intencional,
> con interés, curiosidad y
> aceptación, es como tomar
> una "píldora diaria" para la
> salud física y emocional.

Con este ejercicio vivirás 7 Momentos de atención plena. ¡UN CEREBRO ATENTO ES UN CEREBRO FELIZ!

1. **AL DESPERTAR.** Estando todavía en la cama pon atención, sin forzar, al aire fresco que inspiras, y luego date cuenta del aire cálido que espiras.

2. **ANTES DE LEVANTARME.** Cierra tus ojos, sonríe y siente tu sonrisa mientras tomas consciencia de tu respiración.

3. **MIENTRAS ME DOY UN BAÑO.** Realiza 3 respiraciones conscientes y profundas poniendo atención a las sensaciones físicas, siente cómo el agua cae sobre tu cuerpo.

4. **AL REALIZAR CUALQUIER COMIDA.** Aprovecha el desayuno, la comida o cena para dar pequeños bocados o sorbos y apreciar el despliegue de sabores, la consistencia del alimento, la humedad, la textura. Sin televisor encendido, sin usar el celular, y si quieres hacer más intenso este momento, disfruta la comida con ojos vendados y en completo silencio.

5. **AL CAMINAR.** Hazte consciente de cada paso que das, intenta ir a caminar a un parque tranquilo, con música instrumental relajante, observando el paisaje con detenimiento, la forma de las nubes y detectando cada detalle a tu alrededor.

6. **EN CUALQUIER MOMENTO DEL DÍA.** Cuenta lentamente hasta 10 sin otro pensamiento, y si pierdes la concentración vuelve a empezar desde el 1 hasta lograrlo.

7. **ANTES DE DORMIR.** En la cama y con los ojos cerrados, siente y atiende a tu respiración como si una ola entrara y saliera de tu cuerpo (de 5 a 10 minutos). Ve repasando los mejores momentos del día que transcurrió.

Valora el día..., ¿cómo te fue?
Si te atreviste a hacer cosas diferentes y vivir estos 7 momentos de Atención Plena, estás construyendo una vida atenta y plena.
HAZ UN REPASO y mide lo que has logrado.

¿Cuántos momentos de Atención Plena logré vivir?

Tiempo estimado en que logré **Atención Plena** hoy:

"La única manera de vivir es aceptando cada minuto como un milagro irrepetible".
Storm Jameson

ELIJO CONSTRUIRME

Como decía Aristóteles: *"Somos el resultado de lo que hacemos de manera repetida, por tanto la excelencia no es un acto sino un hábito"*. El bienestar existe solo si tienes la voluntad para elegir lo que conviene. Como lo hemos visto, la felicidad es determinada por nuestra actividad intencional, y todos los días con las decisiones que tomamos podemos construirnos o destruirnos. Así como para la construcción de tu casa es indispensable realizar el plano de la obra antes de empezar, cuidar que los materiales que utilizas sean de la más alta calidad y que las personas que contratas para trabajar sean confiables y honestas, si estamos dispuestos a invertir tiempo, energía, dinero y todos los recursos necesarios en construcciones materiales, ¿por qué en ocasiones nos cuesta hacerlo en la construcción de nuestra persona?

En la construcción de nuestro SER, los materiales equivalen a todas las actividades que llevamos a cabo, los lugares que frecuentamos, lo que leemos, lo que comemos, las conversaciones que tenemos, la música que escuchamos y, principalmente, los hábitos que tenemos. Los trabajadores que nos ayudan con la construcción representan a las personas que permitimos que estén cerca de nosotros, con las que decidimos pasar tiempo e incluso los expertos de quienes nos podemos apoyar, por ejemplo, sacerdotes, psicólogos, nutriólogos, etc.

Para una obra admirable, hay que invertir tiempo para analizar y elegir lo mejor, también invertir dinero para mantener una alimentación saludable, asistir con una nutrióloga, adquirir un buen libro, inscribirse en algún gimnasio, tomar un curso de desarrollo personal (para más detalles de cursos personalizados visita mi página www.samiakarime.com) o realizar cualquier otra actividad que aporte a tu bienestar.

Eres constructor de tu vida estés consciente o no de ello, por lo tanto, si no construimos de manera consciente, corremos el riesgo de obtener un resultado no deseado, frustración, depresión o enfermedad y, lo que es peor, podemos caer en la tentación de culpar a otros de "nuestro destino" si acaso no nos gustó la obra. Es tiempo de hacernos cargo de nuestra felicidad y elegir conscientemente construirnos cada día.

 ¡Ahora vamos con la práctica del día!

1. Empieza por crear hábitos positivos que te aseguren bienestar de largo plazo, revisa la siguiente tabla:

HÁBITOS NEGATIVOS o VICIOS	HÁBITOS POSITIVOS o VIRTUDES
Aplazar la alarma del despertador varias veces por la mañana, antes de levantarte.	Levantarte en la mañana al sonar la alarma.
No hacer ejercicio o no tener descansos regulares.	Hacer ejercicio todos los días.

HÁBITOS NEGATIVOS o VICIOS	HÁBITOS POSITIVOS o VIRTUDES
Comer todos los días comida rápida.	Tener un programa de comidas nutritivas.
Comer a cualquier hora durante el día u omitir comidas.	Hacer mínimo 3 comidas en horarios establecidos.
Salir de casa por la mañana sin despedirte de tu familia.	Abrazar a tu familia y acariciar a tu perro antes de salir de casa.
Usar el celular de forma excesiva.	Fijar horarios establecidos y limitados para uso del celular.
No tener tiempo libre para la diversión y la familia.	Agendar espacio para la diversión y la familia.
Dejar todo para "después", desde tus tareas en el trabajo hasta la limpieza de tu casa.	Realizar todo lo que tienes pendiente o lo planeado, siempre en el tiempo acordado.
Ver TV o Netflix todos los días.	Leer 20 minutos diarios.
Llegar tarde a todas partes.	Llegar 5 minutos antes de la hora establecida.
No pagar a tiempo.	Pagar antes del plazo.
Hablar en lugar de escuchar.	Escuchar atentamente sin interrumpir.

2. Ponte en acción para crear un nuevo hábito, ya sea que quieras empezar de "cero" con algo que sabes que necesitas y te gustaría hacer, o bien, crear un hábito que sustituya un hábito negativo o vicio que deseas eliminar de tu vida. En este caso, SIGUE ESTOS PASOS:

• Detecta el hábito que deseas cambiar y escríbelo aquí:

_____

• Identifica cuáles son los estímulos que te inducen a determinada conducta. Recuerda alejarte de esos estímulos, por lo menos mientras estés instalando el nuevo hábito. Escríbelos:

☹ _____

☹ _____

☹ _____

• Determina el hábito con el que vas a sustituirlo. Asegúrate de que sea una acción diaria, medible y específica, por ejemplo: tomar 2 litros de agua al día, leer 10 minutos, comer una fruta, etc.

Mi nuevo hábito es:

- Repite la acción durante al menos 60 días. Si fallas, **¡es necesario volver a comenzar!**

Fecha de Inicio: _____ / _____ /_____

Fecha Compromiso: _____ / _____ /_____

- Evalúate diariamente, mide tu desempeño y regístralo AQUÍ:

Día 1	Día 2	Día 3	Día 4
Día 5	Día 6	Día 7	Día 8
Día 9	Día 10	Día 11	Día 12
Día 13	Día 14	Día 15	Día 16
Día 17	Día 18	Día 19	Día 20

Día 21	Día 22	Día 23	Día 24
Día 25	Día 26	Día 27	Día 28
Día 29	Día 30	Día 31	Día 32
Día 33	Día 34	Día 35	Día 36
Día 37	Día 38	Día 39	Día 40
Día 41	Día 42	Día 43	Día 44
Día 45	Día 46	Día 47	Día 48

Día 49	Día 50	Día 51	Día 52
Día 53	Día 54	Día 55	Día 56
Día 57	Día 58	Día 59	Día 60

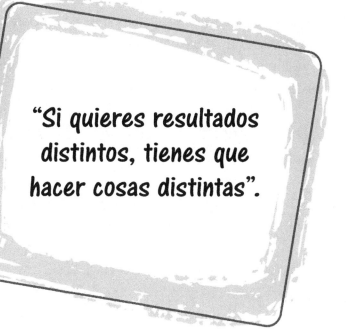

"Si quieres resultados distintos, tienes que hacer cosas distintas".

INTERÉSATE

El interés es una emoción de poder que está relacionada con el asombro, sin embargo, es más profunda ya que nos impulsa a retos nuevos que tienen que ver con el aprendizaje y el crecimiento. Regularmente se genera también cuando algo nuevo llama nuestra atención, pero además de provocarnos fascinación, despierta la curiosidad, el deseo de conocer más, de explorar, de ir más allá. El interés combate la apatía, nos mantiene despiertos, energizados, y nos hace sentir vivos.

Para comprender mejor sobre cómo funcionamos, voy a hablar del "Sistema de Activación Reticular", un filtro que tenemos en el cerebro y que se encarga de ayudarnos a separar la información, lo que considera importante es a donde dirige nuestra atención. Es más difícil para cualquier persona mantenerse atenta cuando la tarea no es atractiva o estimulante porque nuestro SAR filtra de acuerdo a los siguientes criterios:

1. Lo que considera importante para nuestra supervivencia.

2. Lo que considera valioso, según nuestros propios valores y creencias.

3. Lo que detecta como novedad.

Este último es el que está relacionado con el Interés y nos permite comprender por qué lo nuevo resulta tan atractivo para nuestro cerebro y activa nuestro foco de atención. Tengo dos ejemplos muy claros: Cuando hacemos cosas rutinarias, nuestro cerebro se distrae, se aburre y por esa razón la mayoría de los accidentes en empresas suceden por la monotonía laboral. Por otro lado, cuando visitamos lugares nuevos o salimos de viaje, de manera natural tenemos más energía, tenemos todos nuestros sentidos más despiertos, estamos más atentos.

 Prepárate para reflexionar sobre la presencia de esta poderosa emoción, con el siguiente ejercicio.

Comienza por identificar la presencia de esta emoción en tu vida:

- ¿En qué circunstancias experimentas **interés**?

- ¿Qué días me siento con **interés**?

- ¿Qué te encuentras haciendo?

- ¿Cuál fue el momento en este mes en que sentiste **interés** por algo?

• ¿Qué ha llamado tu atención o qué te ha hecho sentir **deseos de aprender?**

• Con lo anterior, ¿qué identificaste que produce esta emoción en ti?

• Escribe ahora tu compromiso, ¿qué actividad vas a realizar esta semana para despertar tu interés?

"Un cerebro atento es un cerebro feliz".

MI ÁRBOL

El ejercicio de hoy requiere que hagas una pausa para trabajar en tu autoconocimiento y será una llave para abrir las siguientes puertas. Te pido que hagas una reflexión sobre ti y contestes las siguientes preguntas que constituyen el árbol de tu vida. ¡Adelante, escríbelo para que tenga más fuerza!

FRUTOS: ¿Cuáles han sido mis principales logros y las metas que he alcanzado?

RAMAS: ¿Quiénes son las personas importantes en mi vida, las que me ayudan a crecer?

TRONCO: ¿Cuáles son mis fortalezas? Ej.: Soy una persona creativa, líder, cariñosa, prudente, positiva, etc.

PLAGA: ¿Qué cosas me impiden crecer y tengo que quitar? Ej.: Personas tóxicas, hábitos negativos, pensamientos destructivos recurrentes.

RAÍCES: ¿Cuáles son los principales valores que me dan firmeza?

"EL GENIO SE HACE CON 1% DE TALENTO Y UN 99 % DE TRABAJO".

ALBERT EINSTEIN

Revisa la página 52
¿Cómo vas con la meta que escribiste? ¿Ya la lograste?
Ahora escribe tu resultado, tus aprendizajes,
reflexión o tu nuevo compromiso:

NOTA DE AGRADECIMIENTO

¡La gratitud es la memoria del corazón!

Para:

GENERO EMOCIONES POSITIVAS

Aunque pienses que no sabes nada sobre la rima y la poesía, la verdad es que, como dice el refrán: "De músico, poeta y loco todos tenemos un poco". Escribir poesía tiene innumerables beneficios físicos, mentales y emocionales. Para que los tomes en cuenta, enlisto algunos de ellos:

- 😃 Amplía nuestra perspectiva.

- 😃 Desarrolla la empatía y la creatividad.

- 😃 Facilita la adquisición de habilidades cognitivas.

- 😃 Sensibiliza y nos dispone a apreciar la belleza.

- 😃 Ayuda a dar un significado más sublime a las circunstancias y a la vida.

- 😃 Genera conexiones emocionales con los demás si se comparte.

Mi abuelo materno fue un gran escritor, tenía un verso para cada ocasión y sus regalos en los cumpleaños fueron los más originales, pues eran palabras del corazón, mensajes elocuentes que no puedes comprar en ninguna tienda. La poesía lo mantenía vivo, le daba siempre un motivo y lo hacía estar mentalmente activo, al grado de morir a los 92 años conservando su lucidez hasta el último momento.

No necesitas ir muy lejos para encontrar inspiración, pues está en tu interior y en la belleza de lo que te rodea…, y tampoco se trata de hacer una obra maestra, pues no vas a participar en una competencia, simplemente vas a dejar que tu mente desarrolle su expresión artística, vas a adentrarte en lo profundo de tus pensamientos para despertar emociones dormidas y disfrutar los beneficios.

 El Reto de hoy es escribir un poema sobre tu vida y aprovechar para hacer un homenaje a las cosas bellas que hay en ella. ¿Qué esperas?, ¡toma el lápiz y empieza ahora!

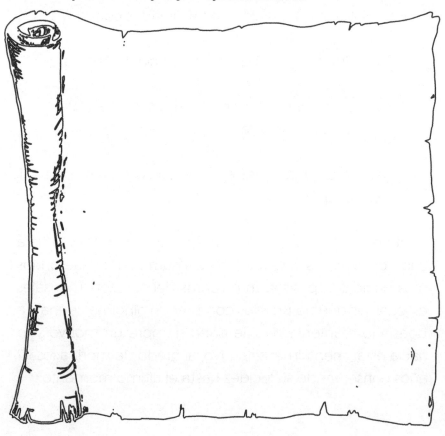

DESPIERTO LA CREATIVIDAD

La creatividad es una de las 24 fortalezas de carácter y, por lo tanto, cualquier persona la puede aprender a desarrollar para disfrutar de sus beneficios. Lamentablemente, a veces nuestra educación, nuestros miedos, algunas creencias que hemos permitido que se instalen y la rutina apagan esta espontaneidad, esta potencia extraordinaria, y entonces dejamos de crear.

La creatividad es un regalo excepcional que activa múltiples circuitos cerebrales y genera conexiones infinitas, por eso no solo sirve para las obras de arte o para innovar en nuestro trabajo, sino que sus beneficios van desde ampliar nuestro repertorio de respuesta en la resolución de problemas cotidianos hasta lograr transformar por completo nuestros resultados y encontrar caminos para hacer realidad nuestros más grandes sueños. Ser creativo no es un título que se obtiene estudiando, es una fortaleza y, así como un músculo, se tiene que entrenar a diario.

¿Qué estás esperando? ¡CREACTÍVATE!
Tu entrenamiento de hoy consiste en elegir una
de estas opciones y, por supuesto, llevarla a cabo:

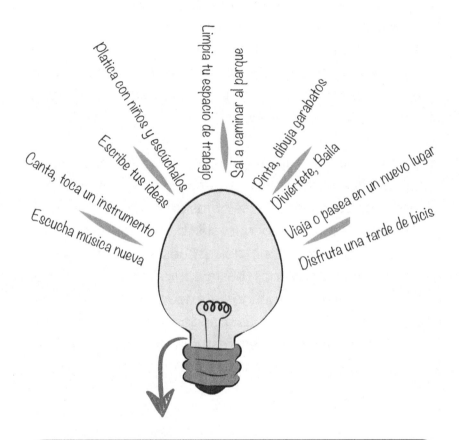

Platica con niños y escúchalos

Limpia tu espacio de trabajo

Sal a caminar al parque

Pinta, dibuja garabatos

Escribe tus ideas

Diviértete, Baila

Canta, toca un instrumento

Viaja o pasea en un nuevo lugar

Escucha música nueva

Disfruta una tarde de bicis

¿Cuál vas a elegir para practicar esta semana?
Escríbelo y pon fecha:

"La inspiración existe,
pero tiene que
encontrarte trabajando".
Pablo Picasso

ME COMPROMETO CONMIGO

Hay algunos elementos que hacen la diferencia entre una meta y un deseo o una simple intención. Lo primero que hay que tomar en cuenta es que sea medible, que tengas manera de evaluar el avance y apreciar el logro de manera objetiva, sin ambigüedades.

(✗) Tomar más agua. Crecer profesionalmente. Prepararme más. Adelgazar.

(✓) Comprar un auto. Estudiar una maestría. Bajar 5 kilos.

También considera como punto fundamental tener un plazo determinado, una fecha límite que te comprometa y te ayude a administrar tu tiempo mejor y asegurar el avance. Algunas veces cuesta comprometerse, y más cuando se trata de comprometernos con nosotros mismos, sin embargo, si no le asignas una fecha, lo postergarás, hasta probablemente dejarlo en el olvido.

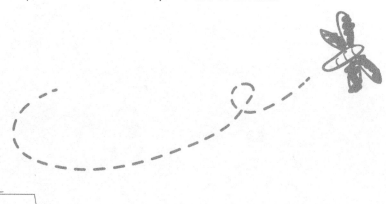

Ahora te toca trazar el camino hacia el logro de una meta que sea importante para ti, ¡yo te guío! Solo llena el siguiente diagrama:

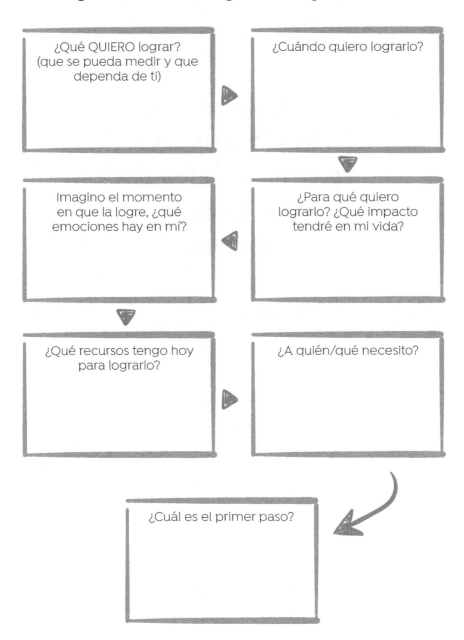

¿Qué QUIERO lograr?
(que se pueda medir y que dependa de ti)

¿Cuándo quiero lograrlo?

Imagino el momento en que la logre, ¿qué emociones hay en mí?

¿Para qué quiero lograrlo? ¿Qué impacto tendré en mi vida?

¿Qué recursos tengo hoy para lograrlo?

¿A quién/qué necesito?

¿Cuál es el primer paso?

"Establecer metas
es el primer paso
para volver lo invisible
en visible".
Anthony Robbins

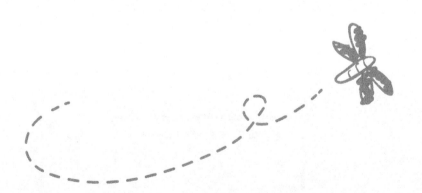

MEJORO MI SALUD EMOCIONAL

Hay diversos factores que influyen en la salud emocional, la cual sabemos que es la clave para mejorar el funcionamiento de nuestro sistema inmunológico y tener una vida de bienestar total. Hoy te presento la "economía de las caricias", una teoría desarrollada por el psicoterapeuta Claude Steiner, donde explica los efectos que producen en el crecimiento del ser humano, la abundancia o escasez de caricias. Desde la perspectiva del análisis transaccional, el término "caricia" se define como cualquier acto o estímulo dirigido de un ser vivo a otro y que reconoce la existencia de este. Las caricias pueden ser positivas o negativas aunque lo más importante es el impacto que tengan en la persona, por lo que puede haber una caricia negativa, como un regaño a tu hijo o una retroalimentación a un colaborador en el trabajo, que si se hace de la manera correcta, en el momento oportuno, consigue un buen resultado en la persona, una mejora.

Así como para la salud física es necesario el alimento, de igual forma para la salud emocional las personas necesitan recibir caricias, ser tocadas y reconocidas por los demás. El 80 % de las enfermedades psicológicas —depresión, neurosis o ansiedad— tienen como causa principal la ausencia de amor o de caricias positivas. Cuando la persona no recibe la cantidad mínima de caricias positivas que necesita para sobrevivir, buscará llenar este hueco con las negativas para su sobrevivencia. El vacío emocional es peor que el dolor. "Preferimos el dolor a la nada", decía

William Faulkner, ya que las caricias positivas o negativas nos hacen sentir vivos, sentir que existimos para los demás y esta es la razón por la que el ser humano elige un golpe a ser ignorado, la ofensa a la indiferencia, la burla a la apatía..., entonces, el niño que no es tomado en cuenta o ve a sus padres tan ocupados en sus cosas que no tienen tiempo para él, desarrolla conductas rebeldes y desobedece para llamar la atención y que decidan voltear a verlo aunque sea para darle una nalgada; así mismo, hay personas que aceptan el maltrato o permiten el abuso pues tienen grandes vacíos y se conforman con las caricias negativas que reciben. Relaciones saludables, un clima laboral adecuado, un hogar donde se expresa y vive el amor, son entornos ideales para el crecimiento y el desarrollo del potencial humano.

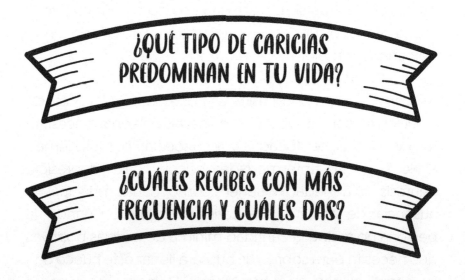

¿QUÉ TIPO DE CARICIAS PREDOMINAN EN TU VIDA?

¿CUÁLES RECIBES CON MÁS FRECUENCIA Y CUÁLES DAS?

No es sano esperar que el mundo nos llene de caricias, es de alto riesgo depender de los demás para ser felices, por eso, desde ahora, toma la responsabilidad de completar la cantidad de caricias que necesitas para tu bienestar total. Sigue estos consejos y cubrirás de manera proactiva lo que necesitas para sentirte en plenitud:

1. **Brinda todas las caricias positivas que puedas**, regala amor, ternura, comprensión, expresa tu gratitud, abraza mientras puedas, perdona, reconoce el trabajo bien hecho, señala virtudes, etc. Los sentimientos bellos siempre son más efectivos si los exteriorizamos que si los guardamos. ¡El que da caricias, recibe el doble!

2. **Acepta caricias**, recibe cumplidos y elogios, cuando nos reconocen por algo y nosotros los rechazamos, ya sea por timidez, por inseguridad, por una humildad mal entendida, por tener otra expectativa; como cuando te dicen "se te ve hermoso ese corte de cabello" y tú contestas "eso lo dices por el cariño que me tienes" o "qué rica te salió la sopa, mamá", y tú contestas, "¡cómo me gustaría que un día me dijera eso tu papá!", este rechazo de caricias positivas, además de descontar su efecto en ti, usualmente te hacen dar una caricia negativa a la otra persona.

3. **Regálate caricias**, todos los días valora lo que haces bien, abrázate con palabras amorosas, sé amable, automotívate ante un reto, prémiate ante un logro,

perdónate cuando falles, mírate al espejo, y como lo harías con un amigo o con tu hijo, regálate frases bondadosas que te recuerden el potencial que tienes y lo mucho que vales, como "merezco un descanso", "¡esta presentación me quedó extraordinaria!", "yo soy capaz y puedo con este reto".

¡Ahora vamos con la práctica!

Una de mis prácticas favoritas es dar regalos, ¡amo sorprender a la gente, provocar sonrisas y gozo! Procuro dar un pequeño regalo de 1 a 3 veces por semana, en ocasiones los planeo con tiempo para hacer algo increíble por alguien, y otras veces lo hago con pequeños detalles universales como paletas, chocolates, notas, flores; el punto es acariciar al mundo para hacerme cargo de mi felicidad porque estoy convencida del impacto que esto tiene en mi estado de ánimo y en mi bienestar. ¡Da al mundo lo mejor y el mundo te regresará lo mejor!

El Reto de esta semana: ¡Tiempo de tocar con el corazón!

1. Acércate a 3 personas que amas y a cada una de manera individual y por separado, date la oportunidad de mirarlas a los ojos, si te es posible toca sus manos y diles lo mucho que las amas, lo que admiras de ellas.

2. Elige una persona más, alguien muy especial en tu vida, y prepara una caricia positiva de alto impacto. ¡No hagas trampa, date el tiempo y ten el valor de hacerlo!

Te comparto algunos ejemplos de caricias positivas según su clasificación:

a) FÍSICAS: mediante contacto como un beso, apretón de manos, palmada. **Son las más potentes.**

b) VERBALES: mediante el lenguaje oral, como una palabra de aliento, un "te quiero" o "¡qué gusto verte!".

c) ESCRITAS: una postal de recuerdo, una carta, una nota, un mensaje de WhatsApp (en medios digitales pierden impacto).

d) GESTUALES: las que expresamos con el rostro, como las miradas, los gestos o una sonrisa.

Registra cómo te sentiste cuando lo hayas hecho:

"Todos nacemos hombres y mujeres pero nos convertimos en humanos gracias a las caricias positivas, a la ternura, a la compasión, al amor".

William Faulkner

UNA PAUSA Y CONTINUAMOS

Tu energía diaria no es ilimitada aunque así lo quieras creer, por lo que es necesario que recargues tu batería durante el día y todos los días. Podemos recargar nuestra batería de múltiples formas —que incluso ya hemos visto en otras páginas de mi libro—, sin embargo, en la práctica de hoy te voy a compartir una de las más sencillas y potentes: **las pausas activas.**

Una pausa activa es un instante durante tu actividad cotidiana, tu rutina, que usas para recuperar atención, reponer energía y poder continuar con mayor productividad y eficiencia; es un momento de esparcimiento para liberar la tensión acumulada o estrés y estimular la creatividad. Diversos estudios de neurociencias afirman que después de un tiempo de realizar la misma actividad, el cerebro se aturde un poco y reduce la motivación, por lo que deja de ver dicha actividad como algo importante, es decir, pierde el interés. Para eso es importante que te des algunas pausas y que sepas qué hacer con ellas para aprovecharlas.

Empecemos por revisar la frecuencia de las pausas activas, con las siguientes técnicas:

1. **BÁSICA:** Pausa de 5 a 15 minutos cada 60 minutos.

2. **FLEXIBLE:** Empieza con pausa de 15 minutos cada 90 minutos y en la tarde o cuando te sientas con menor energía mental, haz pausa de 10 minutos cada 40 minutos.

3. **POMODORO:** Pausa de 5 minutos cada 25 minutos. En lo personal, siento que es poco el tiempo para lograr la concentración necesaria, pero recomiendo aplicarla si tienes cansancio extremo o si lo que estás haciendo implica un gran esfuerzo mental.

4. **LIBRE:** Pausa de 5 a 15 minutos y el tiempo de enfoque en la actividad lo determinas tú, dependiendo de tu nivel de energía y la naturaleza de la actividad.

El nombre de **"pomodoro"** (Tomates en italiano), se deriva del temporizador de cocina con forma de tomate que Francesco Cirillo, el fundador, usaba mientras creaba la técnica. *Para que esta práctica de PAUSAS ACTIVAS funcione, te recomiendo usar un temporizador para que programes tus pausas y le asignes el tiempo a la actividad a realizar. ¡Yo tengo uno y me da enfoque y eficiencia!*

Ahora te reto a practicar las "Pausas activas" en la técnica libre, ¡te aseguro que vas a amarlas por los resultados que traerán a tu vida!

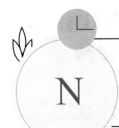

N — Define la actividad en la que necesitas enfocarte y el tiempo que le asignarás

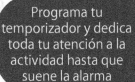 

O — Programa tu temporizador y dedica toda tu atención a la actividad hasta que suene la alarma

P — Toma la pausa correspondiente y usa esos minutos para realizar una de las actividades propuestas

- Tomar agua
- Saltar un poco, saltar la cuerda
- Ejercicios de respiración
- Hacer ejercicios de gimnasia cerebral
- Ver un video inspirador, una TED Talk
- Levantarte y hacer estiramiento muscular
- Platicar unos minutos con alguien a quien amas
- Levantarte y caminar un poco para oxigenar tu cerebro
- Prepararte un café o de preferencia un té rojo
- Escuchar una canción positiva poniendo atención a la letra

NOTA: No están incluidas las redes sociales en esta lista

Q — Prepara la siguiente actividad (o continúa la anterior) y repite el proceso

#1. Cuando estés **solo**,
cuida tus pensamientos

#2. Cuando estés con **amigos**,
CUIDA TU LENGUA

#3. Cuando estés **enojado**,
cuida tus reacciones

#4. Cuando estés en **grupo**,
cuida tu comportamiento

#5. Cuando estés en **problemas**,
cuida tus emociones

#6. Cuando tengas **éxito**,
cuida tu ego

¿QUÉ MOMENTOS FELICES HE VIVIDO
ESTA SEMANA?

MOMENTO DE DIOS

¡Es un gran día para reflexionar y revisar la salud espiritual!
Contesta sinceramente las siguientes preguntas:

1. ¿Le entrego a Dios los logros y frutos de mi vida?

2. ¿En qué forma soy un reflejo del amor de Dios para los demás?

3. ¿Mi vida y obras son agradables a Dios?

4. ¿Busco a Dios solo cuando tengo problemas o está presente en cada momento de mi vida?

5. ¿Hay algo que me hace perder la paz y que me niego a dejar?

6. ¿Pongo excusas para justificar mis malas acciones?

7. ¿Soy obediente a Dios, incluso cuando me es difícil serlo?

8. ¿Me doy tiempo para hacer oración y meditación?

9. ¿Leo la Biblia diariamente?

10. ¿Perdono a otros así como Dios lo hace conmigo?

11. ¿Con mis acciones soy ejemplo para otros, empezando por mi familia?

12. ¿Mi lenguaje refleja amor?

13. ¿Evito la mentira en todo momento sin importar las circunstancias?

14. ¿Agradezco a Dios todos los días?

15. ¿Veo a los demás como hermanos o como competencia?

16. ¿En mi trabajo o en general me conocen por mis valores?

17. ¿Hago lo que me corresponde con alegría y entusiasmo?

18. Con base en mis respuestas, ¿qué compromiso conmigo puedo hacer hoy?

CAMINO SIN JUZGAR

Tengo para ti otro ejercicio poderoso que tiene que ver con la aceptación del momento presente "sin juzgarlo". Toma en cuenta que hay comportamientos que restan bienestar y otros que lo generan, te presento algunos:

LO TÓXICO	LO SANO
Centrarte en lo que no tienes o en lo que anhelas.	Centrarte en lo que tienes y agradecerlo.
Querer que todo sea perfecto.	Vivir cada momento como único, gozar y agradecer la experiencia.
Usar palabras como "debo", "tengo" y sus conjugaciones.	Usar palabras o frases como "puedo", "quiero", "me gustaría".
Querer controlar lo que otras personas piensan, dicen y hacen.	Dar nuestra opinión sin imponer, escuchar a los demás, respetar sus puntos de vista y contemplar la posibilidad de enriquecernos con las diferencias.

Atrévete a hacer este ejercicio.

Este entrenamiento que titulé "CAMINO SIN JUZGAR" te ayudará en tu proceso de transformación, en tu crecimiento, y podrás pasar de una vida impulsada por el miedo a una vida impulsada por los valores.

1. **Identifica un lugar a donde puedas ir a caminar, que te genere incomodidades**, es decir, que te saque de tu zona de confort, por ejemplo, un centro comercial en fin de semana, un lugar concurrido en hora pico o algo parecido son los mejores escenarios para practicar este dominio del pensamiento.

2. **Prográmate para ir, y estando ahí**, ¡llegó el momento de retarte y empezar a caminar con ATENCIÓN PLENA! Permite que te empujen, escucha todo lo que puedas, a los niños gritando, el ruido, etc., observa lo que pasa a tu alrededor, a la gente metiéndose a las filas, las cosas en las tiendas que no te gustan y las cosas que amas, las comidas o *snacks* que se te antojan o los que te desagradan.

3. **¿Puedes ver a la gente sin juzgarla en tu mente?** Intenta ver tus pensamientos y cuando descubras juicios que invaden tu cabeza, como "esa señora debería…" o "ese lugar está muy sucio" o "¿cómo puede comer tanta grasa esa persona?". En ese instante *es cuando vas a hacer una pausa, usar tu voluntad para*

poner tu mente en blanco y simplemente ser capaz de ver las acciones y a las personas a tu alrededor sin ponerles etiqueta y sin que te causen desagrado, aprende a disfrutar lo que estás viviendo, como una experiencia única e irrepetible.

DESARROLLO MI CREATIVIDAD

Como te expliqué anteriormente, la poesía es medicina, es poderosa porque trabaja con emociones y las canaliza hacia lo positivo, es además un recurso efectivo para desarrollar la creatividad. Recuerda que la creatividad no solo se requiere para pintar, diseñar, componer una canción o cosas parecidas, la creatividad nos permite generar repertorios de respuesta en nuestra mente para la solución de problemas, es decir, nos ayuda a encontrar diferentes alternativas o caminos para salir de cualquier contingencia.

Hoy te ayudaré a despertar inspiración, apreciación por la belleza, gozo y amor... ¡Disfrútalo!

Vayamos al siguiente Reto: "El poeta en tu interior".

Escribe un poema a tu familia y después compártelo con ellos. Puedes apoyarte en las siguientes palabras:

vida – decisión – comprensión – alegría – gracias – corazón – creer – posible – acción – renovación – tiempo – tesoro

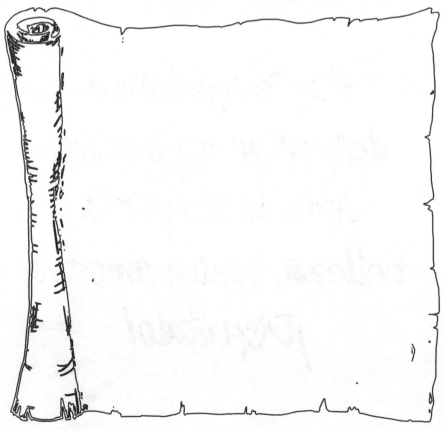

"No hay una sola
partícula de vida
que no contenga poesía".
Gustave Flaubert

ME DONO A LOS DEMÁS

Desde que nacemos traemos el egoísmo integrado como parte de nuestra naturaleza humana y fragilidad; es la razón por la que podemos ver a un niño pelear por un juguete o compartirlo con dificultad, verlo exigir la atención de su mamá para cubrir su necesidad. El egoísmo es el enemigo principal de nuestras relaciones interpersonales, y para vencerlo hemos de fomentar el método "DAR":

D = Despertar, reconocer las oportunidades de hacer algo por los demás, estar alerta para detectar la necesidad.

A = Actuar, estar dispuestos y disponibles para servir, salir de la comodidad y aprovechar la oportunidad.

R = Renunciar al ego, dejar de esperar y cambiar el "¿qué gano yo?" por el "¿qué puedo hacer?".

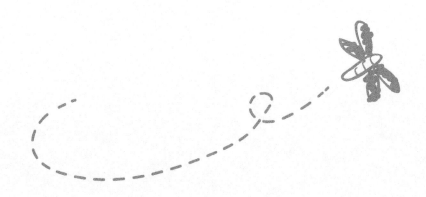

¡Ahora practiquemos un poco!

TÚ ERES EL MEJOR REGALO QUE PUEDES DAR, piensa y luego escribe los destinatarios de estos regalos:

ES EXCLUSIVO

NO TIENE PRECIO

DURA PARA SIEMPRE

Para	Para	Para
_____	_____	_____
"Te llamaré todos los días"	"Llegaré puntual a nuestras citas"	"Te voy a acompañar con alegría a donde me pidas"

Para	Para	Para
_____	_____	_____
"Apagaré mi teléfono cuando esté contigo"	"Voy a cuidar mis palabras"	"Te voy a visitar por lo menos una vez a la semana"

ES EXCLUSIVO

NO TIENE PRECIO

DURA PARA SIEMPRE

Para

"Te miraré a los ojos cuando me hables"

Para

"Te voy a explicar o a enseñar con paciencia"

Para

"Voy a escuchar tu punto de vista y a respetarlo aunque sea diferente al mío"

¿De qué otra forma puedes darte a los demás?

Escríbela

Para

CONSCIENTE DE MIS LOGROS

Estar consciente de tus logros impacta directamente en tu nivel de autoestima. Es necesario estar atentos para reconocer cada logro personal y, generar así, dopamina, serotonina y endorfina, que son químicos de la felicidad, neurotransmisores que elevan el bienestar.

 El reto en esta página es una excelente oportunidad para valorar tus buenas decisiones, aprendizajes, avances, éxitos, etc.

Observa la ilustración en esta página, es un camino que conduce a una meta. Ese camino representa un proyecto sobre el que estás trabajando, un plan que estás siguiendo para lograr un objetivo o bien una meta que ya has logrado. A través del análisis y la reflexión, vas a completar este dibujo, ESCRIBIENDO O DIBUJANDO lo siguiente:

◈ Los **aprendizajes** conseguidos durante el trayecto.
◈ Las **personas** que conociste.
◈ Lo que **agradeces** haber encontrado, vivido, etc.

Los vas a colocar a lo largo del camino, escribiendo o dibujando con un símbolo que lo represente. De esta forma, obtendrás una representación gráfica de los diferentes logros, avances y frutos obtenidos a lo largo del camino, y que son tan importantes como la meta final.

ELIJO CUIDARME

Como lo hemos visto anteriormente, la autoestima es la plataforma sobre la que se soporta nuestra felicidad, dándonos seguridad en cada paso, permitiendo nuestro sano y constante desarrollo profesional o personal y buenos resultados. Hay diversos factores que influyen en el fortalecimiento de la Autoestima y hoy trabajaremos con uno de ellos, el AUTOCUIDADO. Está por demás recordarte que lo que tú no hagas por tu salud nadie lo hará, y la mejor manera de valorar el regalo de la vida que hoy tienes, es cuidándola a tiempo, ¡no esperes a que sea tarde!

En las carreras de Fórmula 1, una parte fundamental para el triunfo o el fracaso es la pausa que hacen los pilotos en la zona de Pits o Boxes, el sitio donde un equipo de expertos realiza cambio de neumáticos, hace reparaciones mecánicas o hasta sustituye partes dañadas del auto; esta pausa dura segundos y es de carácter obligatorio para poder terminar la carrera. Usando esta reflexión, si en una simple carrera de autos se requieren pausas, ¿acaso en la carrera de la vida no será necesario pausar también? Requerimos alineación y balanceo con la redefinición de metas; revisión de los niveles de gasolina, es decir, medir nuestra motivación, nuestra pasión y nuestra salud; cambio de llantas, que equivale a renovar nuestros pensamientos constantemente.

Te reto a parar en tu zona PITS:

Escribe 3 compromisos para contigo que beneficien tu salud y tómale foto a esta hoja para que los tengas a la mano.

Reconozco que hay cosas que <u>quiero</u> y <u>puedo</u> mejorar para tener bienestar total, por eso hoy me comprometo o renuevo mi compromiso de:

1 _____

_____

2 _____

_____

3 _____

_____

REVISA TU SALUD
Cada 6 meses
haz un chequeo
general para
revisar tus
niveles.

DUERME BIEN
6 a 8 horas
Sin luz, sin
celular a un lado.

COME SANO Y TOMA AGUA
2 litros diarios.

ACCIÓN

PASA TIEMPO
Con las
personas
que amas.

HAZ EJERCICIO
Dedica por
lo menos 20
minutos al día
para hacer
ejercicio.

CREER PARA CREAR

"Querer es poder" es una frase muy usada, sin embargo, ¿cuántas cosas has deseado y no tienes? El reto más grande no está a nivel de nuestros deseos sino de NUESTROS PENSAMIENTOS Y CREENCIAS, que son la base de todo lo demás. En mi filosofía de vida existe que CREER ES PODER, y como el cerebro no distingue realidad de fantasía, creer siembra una semilla que tarde o temprano produce; ya sean creencias positivas o negativas, ambas se instalan y producen llevándonos a resultados distintos. Para hacer una demostración rápida del poder del pensamiento, te pido en este momento que pienses en un limón grande y jugoso, que tomas un cuchillo, lo partes a la mitad, lo exprimes y ves las gotas cómo salen disparadas, disfrutas del aroma, después lo acercas a tu boca y pasas la lengua por la parte recién cortada. Ahora date cuenta cuánta saliva produjiste como si hubiera sido real.

Por eso, no esperes "ver para creer", esa es una actitud pasiva y cómoda, más bien ten fe en Dios, confía en las capacidades que tienes, cree en ti, en tus más grandes sueños, dirige tu mente hacia lo que quieres lograr y luego créalo. Creer es el primer paso, porque siembra en ti esa fuerza que te hace vencer tus miedos. La experiencia te dice cómo hacer las cosas, la confianza te impulsa a hacerlas, ¡hay que creer para poder ver!

El reto a continuación es inmensamente poderoso, consiste en programarte para obtener un resultado positivo en tu vida o alcanzar una meta.

Tu imaginación, que está en el hemisferio derecho de tu cerebro, el 80 % de las veces te llena de suposiciones basadas en tus miedos: "¿Y si no quedo seleccionado?", "¿y si rechazan mi idea?", "no creo que pueda hacerlo", etc. Hay una forma de usar la imaginación a tu favor como una herramienta poderosa para darte seguridad, empoderarte y automotivarte para la consecución de tus más grandes metas. *Sigue mis instrucciones:*

◈ **Paso 1. Imagínate disfrutando un logro importante.**
En una postura muy cómoda, cierra los ojos e imagina que hiciste realidad uno de tus sueños, ¡te sientes inmensamente feliz y la emoción se desborda en ti! Piensa en ese momento con el mayor detalle posible, experimenta las sensaciones... ¿Qué hay a tu alrededor? ¿En qué lugar te encuentras y cómo es? ¿Con quién estás?

◈ **Paso 2. Visualiza el futuro con este nuevo estado.**
Sigue con los ojos cerrados, intenta hacer respiraciones profundas para reforzar el ejercicio, corre el tiempo en tu mente y obsérvate habiendo alcanzado ya tu sueño, ¿cómo es tu vida ahora? ¿Qué cambios encuentras? ¿Cómo te sientes?

◈ **Paso 3. Escribe tu frase capacitadora.** Elige cuidadosamente palabras que te den seguridad porque las vas a instalar en los pensamientos que necesites para alcanzar ese sueño, te puede ayudar pensar ¿qué le dirías a tu mejor amigo para motivarlo? Ahora redáctalo en primera persona y escríbelo:

Te doy algunos ejemplos: Puedo concluir mi carrera. Me siento capaz de emprender este negocio. Estoy preparado para presentar este proyecto y será un éxito.

◈ **Paso 4. Prueba.** En los próximos días y semanas, revisa si te resulta más fácil llevar a cabo las acciones necesarias para lograr tu sueño o una meta. Siempre que lo necesites, puedes volver a aprovechar el recurso de tu imaginación para experimentar el poder de "creer para crear".

"Si piensas que puedes y si piensas que no puedes, estás en lo cierto".
Henry Ford

En el siguiente himno, que es precioso, elige 5 versos que en este momento de tu vida tengan mucho sentido, por cosas que estás pasando o porque son palabras que necesitas recordar.

Si te es posible, compártelos con tu familia y por tus redes sociales.

LA VIDA ES UNA OPORTUNIDAD, APROVÉCHALA.
LA VIDA ES BELLEZA, ADMÍRALA.
LA VIDA ES BIENAVENTURANZA, SABORÉALA.
LA VIDA ES UN SUEÑO, HAZLO REALIDAD.
LA VIDA ES UN DESAFÍO, ENFRÉNTALO.
LA VIDA ES UN DEBER, CÚMPLELO.
LA VIDA ES UN JUEGO, JUÉGALO.
LA VIDA ES UN TESORO, CUÍDALO.
LA VIDA ES UNA RIQUEZA, CONSÉRVALA.
LA VIDA ES AMOR, GÓZALO.
LA VIDA ES UN MISTERIO, DESCÚBRELO.
LA VIDA ES UNA PROMESA, REALÍZALA.
LA VIDA ES TRISTEZA, SUPÉRALA.
LA VIDA ES UN HIMNO, CÁNTALO.
LA VIDA ES UNA LUCHA, ACÉPTALA.
LA VIDA ES UNA AVENTURA, ARRIÉSGATE.
LA VIDA ES FELICIDAD, MERÉCELA.
LA VIDA ES VIDA, DEFIÉNDELA.

MADRE TERESA DE CALCUTA

NOTA DE AGRADECIMIENTO

¡La gratitud es la memoria del corazón!

Para:

HOY VOY A CAMBIAR

En este tiempo en el que vamos corriendo sin detenernos, "la costumbre" es una fuerte tentación porque es más cómodo hacer lo mismo que buscar cosas nuevas, es más fácil dejarnos llevar por la rutina que mantenernos atentos a cada experiencia que vivimos. Acostumbrarse es otra forma de morir, porque pierdes el interés, que es vitamina para el cerebro, y empiezas a hacer las cosas de manera automática dependiendo de las circunstancias, reaccionando a lo que sucede en el entorno en lugar de elegir tu respuesta con inteligencia; cuando te acostumbras deja de emocionarte lo que haces, pierdes la capacidad de asombro, el entusiasmo y, por lo tanto, pierdes la consciencia, que es el ingrediente indispensable para valorar, para darnos cuenta de lo que tienes y sentirte agradecido. En conclusión, una persona que se acostumbra deja de sentir gratitud, deja de sentirse viva.

Cada día es diferente, nos trae aprendizajes nuevos, regalos únicos y oportunidades maravillosas que hay que saber disfrutar. Hacer las cosas por costumbre no requiere inteligencia ni voluntad, en cambio, la felicidad tiene que ver con decisiones que se toman segundo a segundo.

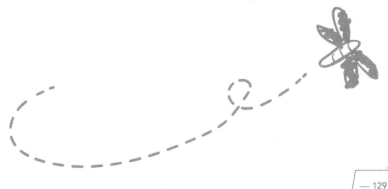

El siguiente Reto consiste en hacer cambios en la rutina para ¡DESPERTAR!

Se trata de dar un poco de variedad a lo que haces de manera habitual. Te doy algunas ideas, por ejemplo, si acostumbras a comer todos los días lo mismo, intenta probar un platillo nuevo esta semana; si comes solo, intenta comer con alguien; si en el trabajo te sientas a comer con las mismas personas, ahora acércate a personas que te gustaría conocer. Lleva a comer a tu familia a un lugar distinto, prueba viendo una película de un género que no acostumbras o escucha música diferente, exponte por unos instantes a algo inédito. Aprende algo nuevo. **Los cambios pequeños y simples son efectivos y revitalizan.**

Escribe los 3 cambios que realizarás esta semana:

Cambio a realizar:

1

Cambio a realizar:

2

Cambio a realizar:

3

"*Sin cambios no hay mariposa*"

DESCONÉCTATE

 Te comparto esta información que recopilé para que acompañe nuestra reflexión:

- En el mundo hay más personas con teléfono celular que con cepillo de dientes.
- El 84 % de los usuarios de un *smartphone* revisan su teléfono como primera actividad del día.
- La mala postura del cuello es ocasionada por agachar la cabeza para estar revisando el teléfono, y con el tiempo genera, además, dificultad para respirar.
- La ansiedad por no poder consultar o responder el celular cuando vibra o suena mientras hacemos otras cosas provoca que nuestro cociente intelectual se reduzca. En realidad, nuestra inteligencia permanece igual, la ansiedad que genera la dependencia al móvil hace que perdamos nuestra capacidad de concentración y nos distraigamos.
- Echar un simple vistazo al celular antes de dormir y someterse durante dos minutos a la luz que emite, puede llegar a alterar nuestro ritmo biológico y provocar trastornos en el sueño. Las personas que lo hacen tienen un 6 % más de posibilidades de sufrir depresión y un 11 % más de padecer trastorno bipolar.

Hagamos algo al respecto con el siguiente reto:

"Un cerebro atento es un cerebro feliz", y el uso de celulares es una de las principales fuentes de distracción y desenfoque, además de generarnos estrés y ansiedad por la cantidad de información que manejamos por ese medio. Actualmente, ¿mides el tiempo que pasas a diario haciendo algo en tu celular?

Te explico el reto:

1. Para crear consciencia de lo anterior, empieza por medir el tiempo que gastas en el uso de tu teléfono, ¡hazlo durante una semana y te sorprenderás de todo lo que podrías hacer con esas horas invertidas por semana!

2. Ya que tienes un dato numérico, puedes optimizar el tiempo buscando un uso más eficiente, estableciendo horarios para revisar redes sociales, ¡te hará más productivo!

3. **Definitivamente, si quieres ser más feliz, aléjate del CELULAR después de las diez de la noche.**

DÍA 1

DÍA 2

DÍA 3

DÍA 4

DÍA 5

DÍA 6

DÍA 7

LA PEQUEÑA VENTAJA

Para ser felices y tener una vida de bienestar, es indispensable desarrollar cada día nuestra habilidad para perseguir objetivos a pesar de la presencia de obstáculos, dificultades y distractores. No se trata solo de llegar a un objetivo, sino de permanecer en él, de tener la voluntad para ser constante y consistente. Con voluntad puedes lograr lo que te propongas y seguir adelante aunque no veas resultados inmediatos, ¡imagina lo que podrías hacer si haces crecer dentro de ti esa fuerza que te *impulsa, que te lleva a vencer temores, vencerte a ti mismo, levantarte en las caídas y no rendirte ante ninguna adversidad!*

La voluntad tiene que ver con la capacidad de posponer la gratificación inmediata con el fin de ser recompensados más adelante con algo que nos motive especialmente, esto resulta todo un reto en estos tiempos donde todo lo queremos rápido, donde a la palabra "sacrificio" se le ha dado connotación negativa y se ha enseñado a darle al cuerpo "lo que pida y cuando lo pida". Sin embargo, la victoria más importante se gana en el interior, y si logramos dominar nuestro ser, podemos lograr cualquier meta en la vida.

La voluntad es indispensable para tener autocontrol y esta será clave de lo logrado, es uno de los secretos para ganar ventaja y diferenciación. Esta fuerza única te hace:

- Derrotar la tristeza en medio de la adversidad y transformarla en paz.
- Vencer el cansancio y despertar todos los días para conquistar metas.
- Aprender en las pérdidas o tropiezos, crearles un significado y seguir adelante con más sabiduría.
- Dedicar tiempo a lo importante aunque tengas la tentación de lo urgente.
- Hacer lo correcto, aunque la mayoría elija el camino fácil y conveniente.
- Someter los vicios cuando atentan contra tu bienestar y el de los que te rodean.
- Reconocer los errores y enfrentar las consecuencias con la cara en alto y valentía.
- Mantenerte firme en tus valores, defenderlos en la tentación remando en contra de la corriente.
- Amar al que te dañó y otorgarle tu perdón.

 El reto hoy para entrenar la voluntad consiste en VENCERTE A TI MISMO.

Vas a llevar a cabo acciones que impliquen vencerte a ti mismo, que impliquen un sacrificio de tu parte, por ejemplo, levantarte más temprano para hacer ejercicio, dejar de fumar, visitar a alguien para darle tu perdón, etc.

MI ACTO DE AUTOCONTROL (asegúrate de que sea algo adicional a lo que haces cotidianamente, algo que te implique salir de tu zona de comodidad).

Ahora registra tus resultados:

[ ] Cumplí   [ ] No cumplí

"No hay mejor medida de lo que una persona es, que lo que hace cuando tiene completa libertad de elegir".
William Buelger

ENCIENDO MI ENTUSIASMO

La palabra "entusiasmo" proviene del griego, y para comprender el poder que tiene vale la pena revisar este significado etimológico. La palabra griega es "en Theos" y significa tener un Dios dentro de uno mismo. Para los griegos, la persona entusiasta era tomada por uno de los dioses y guiada por su fuerza y sabiduría, recibiendo el don de lograr cambios en la naturaleza. Si tomamos estas palabras, el entusiasmo es esa fuerza que Dios ha colocado en nuestro interior para participar activamente en la creación de un mundo más bello y mejor.

El entusiasmo hará que tengas iniciativa, que perseveres en tus proyectos, que te arrojes para alcanzar tus sueños, que venzas obstáculos, sin embargo, como todo lo grandioso de la vida, requieres encenderlo, pues no se da solo.

 Para eso, vas a realizar el proyecto Entusiasmo:

Parte 1: Mido mi entusiasmo

Hay actividades en las que es fácil sentir entusiasmo y algunas otras que naturalmente te lo restan. Te comparto una lista de actividades cotidianas, utiliza la escala del 1 al 10 para calificar el entusiasmo que estás teniendo sobre cada una de ellas, colocando 1 donde presentes el nivel más bajo de entusiasmo:

Levantarme en la mañana	Pasar tiempo con la familia en casa
Hora de la comida	Pagar servicios o deudas
Llegar a mi trabajo	Ayudar a alguien que lo necesita
Ir de compras	Leer la Biblia o un libro
Reunión con los amigos	Hacer ejercicio
Ir a clases de algo que me guste.	Enfrentar un conflicto en el trabajo
Mirar TV o alguna serie	Salir del trabajo
Hacer oración	Comprar despensa
Organizar un paseo en familia	Antes de dormir
Tiempo libre	El fin de semana
Asistir a la iglesia	Entre semana

¿En qué momentos de tu vida identificaste que te está haciendo falta entusiasmo? Escribe los que hayas calificado más bajo:

Si identificas otros momentos de tu vida donde te está haciendo falta entusiasmo, donde hasta te sientes con fatiga, escríbelos también:

Parte 2: Tomo acción

Enumera lo que harás en los próximos días para cultivar entusiasmo en esa área de tu vida. Para darte unas ideas, te comparto una estrategia que hice para inyectarme entusiasmo en uno de los momentos del día donde me di cuenta que hacía falta: al despertarme en la mañana.

1. Puse como alarma en mi celular una de las canciones favoritas de mi disco *Vive Intensamente,* para que al escucharla me genere emoción.

2. Al levantarme, alzo mis brazos con fuerza y repito esta frase o alguna parecida: "¡Estoy lista para recibir todas las bendiciones de este día!".

3. En ocasiones, escribo en un pizarrón que tengo en mi cuarto a un lado de mi cama, una afirmación positiva para ese día.

¡Ahora te toca a ti hacer tu plan!

¿Cuál es el momento del día que elegiste para cultivar entusiasmo?

¿Cuál será tu estrategia?

¿QUÉ HARÁS?	¿CUÁNDO LO HARÁS?
1.	
2.	
3.	
4.	
5.	

"Mantén
tu rostro al sol
y así no verás
las sombras".
Helen Keller

HAY PERSONAS QUE SE PIERDEN LAS pequeñas alegrías diarias, MIENTRAS ESPERAN LA GRAN FELICIDAD.

¿Cuáles son las 3 cosas que agradezco haber vivido hoy?

ENTRENO LA AMABILIDAD

Las relaciones positivas y el bienestar tienen efectos bidireccionales y, además, proporcionalidad directa. Esto significa que los buenos amigos y las relaciones armoniosas nos generan felicidad, y también que al ser más felices, aumenta nuestra capacidad de construir relaciones interpersonales positivas. Un camino seguro para la construcción de buenas relaciones es la **amabilidad,** que nos abre puertas y nos permite influir en los demás de manera directa. La amabilidad también es una de las 24 fortalezas de carácter de la Psicología Positiva. Hacer un acto de amabilidad diario reduce el estrés, mejora la circulación y genera sensación de bienestar. En la empresa Google, los trabajadores disponen de un 20 % de su tiempo para realizar proyectos ajenos a su área de trabajo para fomentar la amabilidad. Diversos estudios que se han hecho sobre el comportamiento de la gente que sentía agradecimiento por haber recibido ayuda sin pedirla, descubrieron que se sentía atraída no solo a "regresar" el favor, sino a ir más allá y "devolverlo con creces" ayudando a un completo extraño en cualquier tarea. Actos de amabilidad provocan una explosión de emociones agradables, empezando por la gratitud en quien se ve beneficiado, que se convierte en inspiración para favorecer a otros, desatando una cadena de favores y de bondad.

"Amable es el que hace de la delicadeza, la cordialidad, la empatía y la atención su carta de presentación. El que considera al otro objeto de respeto y de cortesía, el que brinda opciones a la alegría del tercero sin motivo, sin espera de retorno, simplemente por el hecho de alegrarse de su encuentro, aunque el otro sea un desconocido. Quien es amable ofrece la posibilidad del afecto como quien siembra en la esperanza de una cosecha futura".

Alex Rovira

En mi experiencia, dedicar un gran porcentaje de mi tiempo a los demás me hace sentir plena, aumentar mi rendimiento, cumplir mi propósito de vida, generar entusiasmo y recargar mi batería emocional para mantener altísimos niveles de energía. Recuerdo que desde adolescente amo servir a los demás, y cuando tenía 15 años fui voluntaria en diferentes fundaciones o instituciones y encontré gran satisfacción en ello, sin embargo, el cambio radical en mi vida se dio cuando hice el compromiso conmigo de agregar valor a la vida de una persona cada día... Realizar UN ACTO DE AMABILIDAD, GENEROSIDAD Y AMOR DIARIO DE MANERA CONSCIENTE que contribuyera a la felicidad de quienes me rodeaban. En esto están incluidos todos, incluso me atrevería a decir que tiene más impacto cuando lo dirigimos a quienes nos han lastimado con intención o sin ella, ¡es gratificante ayudar a quien te causó algún daño, devolver bien a cambio de mal! Porque además de ser un acto de amabilidad, es un acto de misericordia y grandeza con el que al primero que vences es a ti mismo. *La bondad dirigida hacia las personas que desde nuestra perspectiva nos lastimaron, es un signo de fortaleza y no de debilidad, pues requiere de mucho coraje responder al odio con amor y al miedo con esperanza.* Cuando pude realizar uno de mis más grandes sueños, que fue crear la *Fundación SerVid por Siempre*, le di un orden a esta capacidad de servir y, como una bendición, más personas se subieron a este barco, se involucró todo un equipo de voluntarios con la misma visión: comunicar esperanza a personas enfermas de escasos recursos por medio de acciones concretas que les brinden calidad de vida. Gracias a esta oportunidad que nosotros decidimos aprovechar, entrenamos constantemente la bondad, experimentamos la felicidad de dar y, por supuesto, producimos neurotransmisores del bienestar.

Veamos una lista de actos simples de amabilidad:

· Recoger una basura tirada en la calle	· Usar botellas reusables para ayudar al medio ambiente
· Ceder el paso a un peatón cuando manejas	· Dar una propina generosa
· Ayudar a un adulto mayor con algo de despensa	· Hacer un cumplido a alguien desconocido
· Donar sangre o plasma para ayudar a un desconocido	· Visitar un asilo para platicar con abuelitos
· Darle paso a alguien para que pague primero en una tienda	· Abrir la puerta a alguien con una sonrisa
· Comprar un juguete y regalarlo a un niño en la calle (sin que sea diciembre o Navidad)	· Lavar el carro de tus papás

¡Es momento de ejercitarnos!

"No dejes que alguien se aleje de ti sin que esté mejor o más feliz con respecto a cuando llegó".

Madre Teresa de Calcuta

Esta semana, lleva la cuenta por día de los actos de amabilidad, generosidad y bondad. Si deseas programarlos, ¡adelante!

Distínguelos de la siguiente manera:

1 Aquellos que tú realizas

2 Aquellos que impulsas a que otros realicen

3 Aquellos que observas que alguien más realiza

Lunes	
Martes	
Miércoles	
Jueves	
Viernes	
Sábado	
Domingo	

¿Qué emociones experimentaste al hacer conciencia de los actos de amabilidad, bondad y generosidad realizados, provocados o presenciados?

EL SECRETO DE LA EFICIENCIA

Durante el día tenemos nuestro "horario pico" que son alrededor de 200 y 220 minutos de concentración máxima, son infinitamente valiosos y requieren que aproveches tu energía de una forma distinta al resto del tiempo. Lo interesante es que puedas descubrir el momento del día en que se presenta este gran regalo ya que varía en cada uno: hay personas matutinas que tienen su máximo enfoque en las primeras horas de la mañana; personas vespertinas que a media tarde es cuando registran los mayores niveles de energía; personas nocturnas que resultan más productivas en la noche.

Te recomiendo gestionar tu tiempo y organizar tu agenda tomando en cuenta tu flujo de energía y no llenando espacios vacíos a cualquier hora. Este secreto te hará más eficiente, pues si sabes aprovechar tus momentos más productivos, vas a hacer más cosas y de mejor forma con menos tiempo y esfuerzo.

¿En qué momento del día te sientes más PRODUCTIVO(A)? ¿En qué horario logras MÁS CONCENTRACIÓN O ATENCIÓN PLENA? ¿Cuál es tu hora más CREATIVA?

Como a tu cerebro le encanta disfrutar lo novedoso, se siente atraído por contenido fresco, por experiencias nuevas, pues le genera dopamina, asegúrate de utilizar tu horario pico con inteligencia y talento. Permíteme guiarte por medio de estos pasos:

1. Cancela distractores (coloca el celular en modo avión si es posible).

2. Realiza tareas impulsoras (10 minutos): son tareas que duran poco y te activan el cerebro sin desgastarte, su objetivo es llevar tu concentración al máximo nivel. Ejemplos: bailar, brincar, realizar estiramientos o gimnasia cerebral, revisar tu lista de prioridades, etc.

3. Realiza la tarea retadora (60 minutos): es la que requiere más energía y la que más te acerca a tus objetivos, asegúrate de dedicar este tiempo a lo más estratégico o que exija más inteligencia y creatividad.

4. Toma un respiro (10-15 minutos): es el punto donde vas a poner en pausa tu trabajo o tarea retadora, pues descansar es una necesidad para evitar "sobrecalentar" tu cerebro, que requiere oxigenación. Como opciones, tenemos disfrutar de algún *snack* saludable, practicar meditación, preparar un té, ver algún video inspiracional (nada de redes sociales ni cigarro).

5. Continúa la tarea retadora (90 minutos): después de darle ese respiro a tu mente, vas a regresar a la tarea estratégica que estabas haciendo o puedes iniciar una nueva de ese mismo nivel para aprovechar al máximo los ritmos ultradianos y tus lapsos de mayor

atención cuando tu cerebro está más conectado. ¡Dependerá de ti hacer que rindan!

6. Realiza tareas relajadas (10 minutos): antes del siguiente descanso, haz una tarea de menor duración e intensidad, también de menor nivel de reto ya que tu energía empieza a disminuir. Por ejemplo, revisa tus correos de menor importancia, ahora sí puedes usar tus redes sociales, hacer alguna llamada personal, adelantar pendientes que no impliquen trabajo mental, hacer cosas rutinarias u operativas o simplemente puedes relajarte sin la incómoda sensación de culpa por la creencia de que "deberías estar haciendo más".

7. Toma otro respiro (10-15 minutos) para volver a tu último momento de alta concentración donde vas a seguir con la tarea retadora (60 minutos).

Algunas recomendaciones:
- Esto puede suceder en cualquier momento del día, dependerá del horario que hayas identificado como "pico" para ti. ¡Solo tú lo sabes!
- Ya con experiencia puedes hacer cambios a tu gusto, solo asegúrate de que después de tu período de máxima energía, bajes la actividad con las tareas relajadas o respiros.
- Un secreto para que funcione mejor es elegir la actividad estratégica, retadora y de alta prioridad desde la planeación que hagas el día anterior.

MI MEJOR MOMENTO DEL DÍA

Las personas positivas tienen mejores resultados, encuentran con mayor frecuencia puertas abiertas, son más saludables y logran una mayor calidad de vida. Las personas positivas no ven los obstáculos en su vida, sino los tesoros que día a día tienen por descubrir, ¡no solo tienen días buenos sino que salen a crearlos!

> La gratitud es una de las emociones de poder que más activa la POSITIVIDAD.

Si te dispones a agradecer todo lo que hoy tienes, de manera inmediata se elimina cualquier queja o negatividad que estés sosteniendo. La gratitud instantáneamente te conecta con la esperanza, la inspiración, el asombro y principalmente el amor que expulsa al temor.

 Te propongo la siguiente práctica: "El mejor momento del día".

¡Es muy sencillo! **Escribe durante una semana cuál fue el mejor momento del día y describe brevemente por qué**, intenta no pasar al ejercicio siguiente sin haber concluido este. Es una poderosa herramienta para practicar la gratitud, valorar más tu día, entrenar a tu mente para que busque lo luminoso, programarte para detectar las cosas buenas de tu vida. **Conviértelo en un hábito, hazlo cada noche antes de irte a dormir,** incluso si eres una persona que no acostumbra a orar, este ejercicio te llevará de manera natural a dar gracias. A pocos días de comenzar con este ejercicio comenzarás a notar que incluso en los días no tan buenos siempre hay un "mejor momento" y es ahí en donde te vas a enfocar, también te darás cuenta que de manera natural vas a estar buscando momentos positivos candidatos a ganar un lugar en tu diario, dormirás con más paz y te sentirás más feliz al despertar.

¿Qué estás esperando?
¡Comienza a escribirlo DURANTE UNA SEMANA!

Mi mejor momento del día:

Día:	Mi mejor momento:	Motivo:
L		
M		
M		
J		
V		
S		
D		

ENTRENO MI FUERZA DE VOLUNTAD

¿Te ha sucedido que empiezas una dieta y a los pocos días la rompes? ¿Te inscribes al gimnasio y faltas por cualquier pretexto? ¿Tal vez no puedes resistirte a comer algo de botana entre comidas? ¿Sigues al lado de una persona que te hace sufrir? ¿Dices que sí cuando realmente quieres decir no?

 Algunos datos interesantes para nuestra reflexión:

A mitad de enero, solo el 25 % de las personas mantiene sus buenos propósitos, pero 6 meses después esta cifra disminuye hasta un 5 %. ¿Por qué? Al cerebro le implica más desgaste hacer cosas distintas, prefiere la rutina y hacer lo acostumbrado.

La fuerza de voluntad disminuye la tasa de ejecución de los impulsos negativos del 70 % al 17 % —demuestra un estudio de la Universidad de Chicago realizado por el psicólogo Wilhelm Hofmann (2001)—, es decir, que hacer uso de nuestra fuerza de voluntad detiene más del 80 % de los impulsos no deseados. Si quieres dejar de consumir pasteles y cedes a la primera tentación, volverás a caer el 70 % de las veces, si resistes y la vences, reduces al 17 % la ejecución de dicha acción.

El secreto para cambiar nuestros resultados y nuestra vida está en nuestra voluntad, que es la fuerza que nos da la determinación para llevar a cabo aquello que la inteligencia le presenta como un bien. Hay que entrenarla y fortalecerla como un músculo. Para entrenar esta fuerza, te doy algunas técnicas:

1. **Tensar los músculos**

   Iris W. Hung, de la Universidad de Singapur, ha descubierto un curioso truco para ejercer el autocontrol: cuando se nos hace agua la boca ante un pastel o sucede cualquier cosa que requiera de nuestra fuerza  de voluntad, hay que *tensar los bíceps o los músculos de la mano durante un minuto*, y nos resultará más sencillo evitar la tentación. En este caso, el cuerpo influye sobre la mente, y si apretamos los músculos se manda una señal al cerebro y se activa la fuerza de voluntad.

2. **El pastel en rebanadas**

   Como un gran pastel se come de a una rebanada a la vez, algo muy útil para lograr tus objetivos y a la vez reforzar tu voluntad es **dividir tu objetivo en diferentes pasos o tareas**. Cuando tienes grandes cosas por lograr, tu cerebro se bloquea y prefiere no empezar, además la fuerza de voluntad está relacionada con la motivación y se generan emociones de poder dentro de ti cuando tienes metas inmediatas y a corto plazo.

Haz la prueba y divide en tareas una de tus metas:

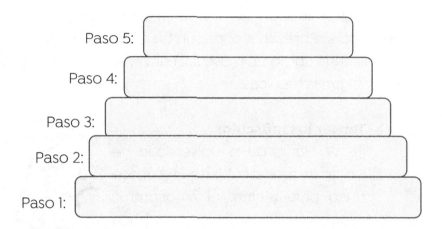

Paso 5:

Paso 4:

Paso 3:

Paso 2:

Paso 1:

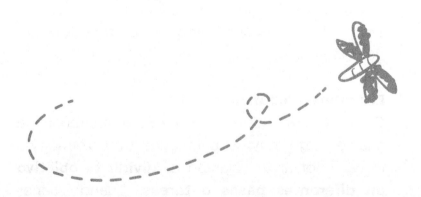

FOMENTO LA AUTOESTIMA EN MIS HIJOS

La Autoestima cierra el paso a la depresión, nos ayuda a relacionarnos mejor, aporta a nuestra vida fuerza, vigor y confianza para alcanzar nuestras metas. El amor hacia nosotros y la valoración de nuestra existencia se refleja también en amor hacia los demás pues "nadie da lo que no tiene".

Por lo mismo, es vital ayudar a nuestros niños y adolescentes para que crezcan con herramientas para una sana autoestima, y muchas veces, los padres no saben cómo hacerlo.

Algunas recomendaciones:

1. **Crear un ambiente sano y seguro.** Los niños aprenden de los comportamientos de sus padres, de sus palabras y gestos. Si la convivencia diaria en tu casa tiene como hilo conductor el amor, la confianza y el respeto, los niños crecen sintiéndose valorados, comprendidos y tomados en cuenta, de manera que construyen seguridad.

2. **Evitar crear expectativas** sobre su futuro, su forma de ser y comportamientos. Permitir que ellos construyan su personalidad cada día, enfocados en el presente, y claro, con la guía de sus padres. En cambio, si decimos frases como "serás el mejor en la escuela", "vas a ser como tu padre", "si sigues

así, nadie va a querer estar contigo", o similares que en caso de ser positivas pueden estresar al pequeño, lo presionan de tal manera que afecta su desarrollo natural, y cuando son negativas, pueden dañar su autoconcepto y hacerlos inseguros, o bien, programarlos mentalmente para obtener los resultados que no deseas para su vida.

3. **Identificar el potencial que tienen,** en lugar de señalarles constantemente sus errores. Hay que señalar lo que se necesita mejorar, motivando con metas o retos y procurando diálogos abiertos desde una perspectiva de aprendizaje y, por otro lado, impulsarlos para que vean por ellos mismos sus cualidades y fortalezas.

4. **Validar sus emociones.** Es importante no calificar nunca sus sentimientos como "malos", no evaluarlos ni juzgarlos porque lograrás que los repriman y la consecuencia será una baja autoestima y la pérdida de la conexión con sus sentimientos. Lo mejor es enseñarles que pueden expresar sus emociones sin lastimar, sin ofender a nadie y luego ayudarlos con algunos ejercicios para canalizarlas.

5. **Dedicar tiempo de calidad** para escucharlos atentamente e interesarte por aquello que quieren compartir contigo, además de preguntarles y hacerlos partícipes en algunas conversaciones.

El siguiente Reto se trata de un divertido juego con tus hijos o con tu familia: "Lo que sabes de mí":

◈ Te reúnes con tu familia.

◈ Haces fichas con preguntas que puedan hacerse a los participantes (puede ser una o varias preguntas por tarjeta).

◈ Cada integrante de la familia toma una ficha y contesta la(s) pregunta(s) correspondiente(s).

◈ Se vuelven a colocar las tarjetas en el centro y nuevamente se reparten.

◈ Cada quien tendrá su turno para leer la tarjeta y adivinar a quién pertenece.

Ejemplo de preguntas:

Mis amigos me llaman:

Siempre me ha dado miedo:

Soy mega Fan de:

Podría pasarme horas:

Tengo mucha facilidad para:

Uno de mis sueños es:

Una de mis películas favoritas es:

La materia que más gusta es:

Me molesta que:

Algo que tenemos en común:

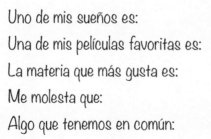

LAS 10 FRASES
QUE TODO HIJO DEBE ESCUCHAR

"Para alcanzar una meta que nunca antes lograste, debes hacer cosas que nunca antes hiciste.

No enfrentes tu problema armado solo de tu propia experiencia, comprensión y fortaleza.

Cuenta con el poder infinito del Señor al decidir ahora obedecer Sus enseñanzas".

Élder Richard G. Scott.

Revisa la página 95
¿Cómo vas con la meta que escribiste? ¿Ya la lograste?
Ahora escribe tu resultado, tus aprendizajes, reflexión o tu compromiso:

EL PODER EN TU INTERIOR

¿Te suenan familiares expresiones como "me hicieron sentir mal" o "me hiciste enojar" y muchas similares que te colocan en una postura de víctima y te quitan el poder? Lo primero que necesitas es dejar de depender de las circunstancias, de lo que otros dicen o hacen y de todo lo que no está en tu control. Tus pensamientos dirigen tus emociones, tus emociones dirigen tus acciones y tu comportamiento, así que eres responsable de lo que sientes y haces..., no esperes que la paz y la felicidad te caigan del cielo o que tu hermano, padre, esposo o esposa te digan que *te quieren* para que seas feliz.

Quienes nos dedicamos a desarrollar el potencial en las personas coincidimos en la importancia de tomar acción, ser proactivos en estimular ciertas emociones todos los días para conquistar la plenitud, crear y mantener la felicidad. ¿Cuáles son esas emociones que necesitas estimular?

Te voy a revelar en esta página ese secreto tomando la opinión de expertos a nivel mundial y lo que yo personalmente he podido comprobar en más de 15 años de experiencia como *coach* de vida. En el libro *Despertando al Gigante Interior*, Anthony Robbins habla sobre algunas emociones que nos disponen a la felicidad y las explica como semillas que hay que cultivar. De la misma forma, investigadores de Psicología Positiva señalan también emociones poderosas para contrarrestar las emociones desagradables, despertar la positividad, fortalecer nuestro sistema inmunológico y tener salud emocional. Estas **emociones de poder**, de acuerdo a un efecto secuencial actúan en nuestro cerebro eliminando elementos negativos de nuestra personalidad y creando conexiones neuronales que nos convierten en personas más fuertes, creativas y resilientes, hasta llevarnos a una completa transformación del ser. Lo mejor de todo es que se pueden generar mediante pensamientos, palabras y acciones diarias.

¡Ahora sí, va el secreto! Te comparto las emociones de poder:

1. **Gratitud.** Sensación que resulta de estar conscientes de las personas, cosas y momentos valiosos que tenemos o recibimos en la vida, ¡ten cuidado de no confundirlo con la sensación de estar en deuda con alguien!

2. **Entusiasmo.** Estado interior fresco y luminoso que nos hace experimentar altos niveles de energía y un poderoso impulso hacia la acción constructiva y creadora.

3. **Serenidad.** Sensación de calma y tranquilidad que proviene de vivir la templanza, la coherencia y de estar en armonía.

4. **Asombro.** Admiración que sentimos al estar frente a algo nuevo, algo diferente que atrae nuestra atención permitiéndonos disfrutar plenamente de ese momento presente.

5. **Interés.** Emoción que se presenta al estar frente a algo nuevo, algo diferente que despierta nuestra curiosidad por conocer más y aprender.

6. **Orgullo.** Sensación de satisfacción que nace de saber apreciar los logros, las cosas buenas que realizamos, las decisiones correctas que tomamos y los resultados positivos que obtenemos.

7. **Diversión.** Sensación de alegría que se genera al realizar actividades entretenidas, interesantes, relajadas y chistosas (sin dañar nuestro bienestar y el de otros) que refrescan la mente y el cuerpo.

8. **Inspiración.** Sensación de motivación que enciende en el interior el deseo de ser mejor o de iniciar algo nuevo.

¡Es momento de la acción!

El Reto es el siguiente. Piensa en la semana pasada y repasa las emociones de poder que estuvieron presentes, luego regístralas en esta tabla:

DÍA	EMOCIÓN DE PODER	EXPERIENCIA

Ahora que ya eres más consciente del beneficio de las emociones de poder en tu vida y que ubicas experiencias donde las generas, lo que sigue es mantenerlas presentes, crearlas y no esperar a que "algo" o "alguien" las traiga a tu vida. Cuando disfrutas un paseo en familia que alguien más propuso, o sales a comer con el equipo de trabajo porque hay un gran logro que celebrar o haces algo nuevo porque a tu hermano que es muy creativo se le ocurrió, regularmente te complace tanto que anhelas repetir esos momentos porque aportan a tu felicidad, sin embargo, la mayoría de la gente pocas veces tiene la disposición para salir de su rutina y hacer que ocurran de nuevo.

La invitación que te hago es a tomar decisión y accionar; si hay cosas que deseas hacer y sabes que te producen bienestar, entonces comienza ya a incluirlas en tu agenda, si involucra a otras personas, empieza a organizarlo y si tiene que ver solo contigo, determina la fecha y hora. Los milagros se provocan, las emociones de poder se generan, la felicidad se crea y en todo esto hace falta tu intención acompañada de tu decisión.

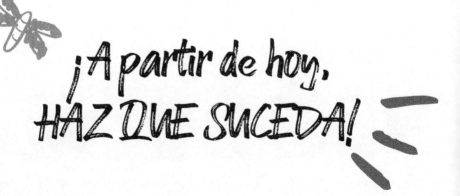

¡A partir de hoy, HAZ QUE SUCEDA!

MI DOSIS DIARIA

Tengo la dicha de ayudar a diversas causas desde pequeña y algo que he aprendido es que no se trata de servir el día que "te toca", sino que amar es el propósito con el cual fuimos creados y el servicio es un fruto natural del amor. Por eso, mi filosofía de vida es ser "voluntario 24/7", es decir, de tiempo completo. Las personas que trabajan como voluntarios, que llevan una vida de servicio a los demás con acciones positivas generan una sustancia llamada serotonina (uno de los más potentes químicos de la felicidad) que favorece la circulación arterial protegiendo contra las enfermedades del corazón, dos veces más que la protección que ofrece la aspirina, además funciona como analgésico natural, por lo que ayuda a experimentar menos dolor y molestias físicas.

En toda actividad que realices durante el día, tu trabajo, tus trayectos, recoger a tus hijos al colegio, preparar la comida, lavar el auto, tender tu cama, cuidar a tu mamá, tú puedes elegir entre dos opciones: lo haces por obligación y generas cortisol (la hormona del estrés) o lo haces por amor, con gusto y generas serotonina. ¿Qué te gustaría producir todos los días, enfermedad o bienestar?

El siguiente reto consiste en realizar con amor y alegría las siguientes acciones positivas que te harán experimentar inspiración, gratitud, bondad y al mismo tiempo generarlo en los demás. ¡Es hora de comenzar tu tratamiento de 28 días para producir bienestar! Te dejo la dosis diaria, ¡asegúrate de marcar la casilla!

21
Visitar a un enfermo

22
Elige tu acción positiva

23
Dar gracias a mis compañeros

24
Practicar la paciencia con los demás

PACIENCIA ✓

25
Felicitar a 3 personas por algo que hayan hecho bien

26
Saludar a todas las personas que encuentre a mi paso

27
Regalar parte de mi tiempo a alguien que necesite

28
Hablar positivo

DIRIJO MIS PENSAMIENTOS

Las personas felices logran mejores resultados, tienen inteligencia emocional y tienden a ser más resilientes ya que mantienen el foco en lo positivo de cada situación, incluso en los momentos difíciles cuando hay adversidad o tienen algún resultado no deseado. Regularmente practican la disociación y son capaces de ver las cosas desde distintos puntos de vista para encontrar una solución, no se agobian con los problemas, sino que dirigen su energía y fuerza en la solución, tomando aquello que sí depende de ellas y que está en sus manos cambiar.

En toda dificultad existe un propósito mayor, y si logras descubrirlo para enfocarte en él tendrás el impulso y los medios para obtener la victoria. Si te has atormentado pensando que no has logrado tus sueños o te has desanimado al sentir que tu vida "no es lo que deseabas", ten presente que la mayoría de las personas que son consideradas exitosas conquistaron sus metas después de los 40, cuando su misma experiencia deja al descubierto su fortaleza principal. Aunque para mí, es cuestión de enfoque, no hay una edad ni número de intentos determinado para el éxito.

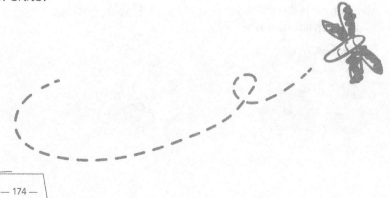

Hoy te invito a que disfrutes la maravillosa e inspiradora historia del Coronel Sanders, quien fue fundador de Kentucky Fried Chicken a los 62 años:

Harland Sanders, mejor conocido como Coronel Sanders, nació un 9 de septiembre de 1890. Sanders fue el hijo mayor de 3 hermanos que nacieron en el seno de una humilde familia de Henryville (Indiana), la cual tenía ascendencia irlandesa. Su padre falleció cuando él tenía 5 años, por lo que tuvo que, desde muy joven, aprender a cocinar y trabajar: abandonó la escuela a los 12 años para ayudar con las tareas en la granja de la familia y, poco tiempo después, luego de sufrir malos tratos por parte de su padrastro, se mudó a casa de sus tíos, quienes vivían en la cercana ciudad de New Albany (Indiana).

Del trabajo cotidiano a la innovación

Completó los compromisos del servicio militar en Cuba, y después se trasladó a Alabama, donde contrajo matrimonio con Josephine King y tuvo 3 hijos. Estudió leyes por correspondencia, mientras tuvo todo tipo de empleos: bombero en ferrocarriles, corredor de seguros, operador de un bote de vapor en un río de Ohio, vendedor de llantas, etc. El trabajo que más le acomodó entonces fue el de las gasolineras o estaciones de servicio. Ocupó varios puestos en diferentes gasolineras del centro de los Estados Unidos hasta que abrió una propia en la pequeña ciudad de Corbin, al sureste del estado de Kentucky. Para este momento, Harland contaba con 40 años, y fue a esta edad que comenzó a ser pionero en varias cosas:

Lo primero que hizo fue ofrecer un servicio de comidas para los viajeros que paraban a recargar combustible en su gasolinera; pensó que cada vez se hacían viajes más largos y que podía ser buen negocio vender también combustible para el cuerpo cansado. En ese sentido, Harland creó el concepto de "estación de servicio", que ahora es replicable en prácticamente todas las gasolineras del mundo. Este invento suyo de la estación de servicio y además su talento para la cocina, lo hicieron popular en la zona al punto de que el gobernador de Kentucky de ese entonces, Ruby Laffoon, lo nombró "Coronel de Kentucky". Esa popularidad se estaba traduciendo en muchas visitas a su estación de servicio, por lo que ya una simple mesa de comedor no le bastaba para atender a todos los que querían probar sus deliciosas creaciones.

Eso lo impulsó, un año después de abrir el establecimiento, a lanzarse de lleno a montar un restaurante adjunto, ofreciendo varios platillos y mesas para 142 comensales. En este lugar fue donde comenzó a preparar su famoso pollo frito a partir de una receta propia que consta de 11 hierbas y especias, receta que patentó en 1940 y que ha permanecido secreta hasta ahora.

Una caída y una gran apuesta

Debido a que la construcción de la Interestatal 75 redujo el tráfico en la carretera donde su local estaba asentado, el Coronel Sanders comenzó a tener pérdidas y altas deudas. Uno creería que un hombre de 62 años no tendría la motivación necesaria para sortear los panoramas hostiles, y que para hacerlo tendría que hacer apuestas grandes y arriesgadas. Pero él, que creía en su potencial y que ya sabía lo que era vivir sin más que para comer lo justo, no tenía miedo al siguiente paso, por lo que, a comienzos de los 1950, vendió su estación de servicio por poco menos de 75.000 dólares.

De esa cantidad solo le quedó un poco (algunas fuentes dicen que solo 100 dólares) después de haber pagado deudas, y con eso decidió recorrer el país en su auto para cerrar tratos con restaurantes que vendieran su receta de pollo frito a cambio de 1 centavo de dólar por cada pieza de pollo vendida.

Para 1952, teniendo 62 años, había reunido suficiente dinero para abrir un restaurante en la ciudad de Salt Lake City (Utah), con el nombre de Kentucky Fried Chicken. Entonces, por todo el centro de los Estados Unidos se comentaba sobre la fama que tenía el pollo frito en ese estado, por lo que un nombre así era lógicamente atractivo para todo el mundo; pero nadie se imaginó que su popularidad iría como una bola de nieve hasta ser lo que es ahora.

Para 1974 tenía 600 establecimientos con su producto en los Estados Unidos y Canadá. Ese mismo año, al no poder manejar humanamente el nivel de negocio que estaba suponiendo Kentucky Fried Chicken, vendió sus acciones de Estados Unidos por 2 millones de dólares a un grupo de inversionistas entre los que se encontraba John Brown Jr., quien más tarde fungiría como gobernador de Kentucky. Además, la compañía le ofreció un salario vitalicio de 40.000 dólares anuales (que posteriormente aumentó a 200.000 USD) para que siguiera siendo embajador y relacionista público de Kentucky Fried Chicken hasta el día de su muerte.

Entonces se dedicó a recorrer el país promocionando la marca. En 1976 una encuesta independiente lo nombró como la "segunda celebridad más reconocida a nivel mundial". En 1970 abandonó el consejo de dirección de Kentucky Fried Chicken, pero continuó siendo la imagen publicitaria, mientras que la empresa aumentaba su presencia en Estados Unidos, Puerto Rico y algunos países como México, Japón, Bahamas, Jamaica y posteriormente Colombia. El Coronel Sanders falleció a la de edad de los 90 años, en 1980, víctima de una leucemia aguda que le había sido detectada 6 meses antes del fatídico hecho. Fue sepultado con su atuendo característico en el cementerio de Corbin (Kentucky). En su honor, los nuevos propietarios mantuvieron su rostro como identificativo de Kentucky Fried Chicken, marca que hoy en día es una de las que mayor presencia tiene en el mundo.

Fuente: www.tentulogo.com

Ningún mar en calma hizo experto a un marinero. ¡Aprovecha la tempestad!

Para lograr recoger los frutos de tu esfuerzo, necesitas perseverar especialmente en los momentos difíciles que es donde se presenta la fuerte tentación de claudicar. Cada experiencia adversa tiene dos formas de ser contada, puede ser valorada como un fracaso o como una oportunidad, depende del enfoque que le quieras dar. El enfoque positivo no se logra solo, sino que resulta del aprendizaje significativo, que consiste en crear sistemas de significado para dar sentido a las experiencias y construir tu personalidad. Contempla a la persona no como un ser pasivo de experiencias, sino como constructor activo de su propia realidad.

Una herramienta infalible para desarrollar enfoque positivo en la caída, en la prueba, en la crisis o en la pérdida, se llama **PREGUNTAS PODEROSAS**, que son abono para tu cerebro y dan dirección a tus pensamientos.

 ¡Vamos! Trabajemos este ejercicio con algunas Preguntas Poderosas:

Te voy a compartir las preguntas potenciadoras que me han hecho encontrar el propósito especialmente en medio de una batalla y me han proporcionado la fuerza y la sabiduría para ganar. Ya que conozcas el sentido de esto, podrás crear tus propias preguntas dependiendo de la situación, solo asegúrate que estén escritas en positivo y en tiempo presente o futuro.

1. Primero, piensa en alguna situación adversa por la que atraviesas o simplemente algo que te esté inquietando en este momento:

2. Ahora contesta las siguientes preguntas:
   - ¿Qué es lo mejor que puede pasar?

   - ¿Qué quiero aprender de esto?

   - ¿Qué puedo rescatar?, ¿con qué cuento aún? (en especial si se trata de una pérdida)

• ¿Qué puedo agradecer en este momento?

• ¿Qué voy a hacer diferente que me ayude a recuperar la paz?

• ¿Cómo puedo hacer que esto valga la pena?

• ¿Qué elementos positivos puedo encontrar?

• ¿Qué oportunidades puedo encontrar?

ME INCLUYO EN LA AGENDA

Para poder entregar lo mejor de ti a los que te rodean, es necesario que procures tu bienestar, ya que para hacer feliz a los demás, primero tienes que ser feliz tú, amarte y valorarte. ¡Nadie da lo que no tiene!

De los 1440 minutos que tiene el día, ¿cuántos te dedicas solo a ti? Estoy segura de que tienes múltiples tareas pendientes y cosas por resolver, eres importante para muchas personas que esperan tanto de ti, sin embargo, puedes organizarte y crear disciplina para que, así como haces un espacio para tu familia, trabajo y amigos, puedas colocarte como prioridad y dedicarte a ti, a lo que te gusta, a lo que te recrea y te reanima. Brindarte tiempo para sentarte en la cama o en un sillón cómodo para disfrutar de una deliciosa taza de té, o algo tan sencillo como cerrar los ojos y enfocarte en tu respiración…, se trata de conectarte contigo.

Regálate una de las cosas más valiosas, ¡regálate tiempo!

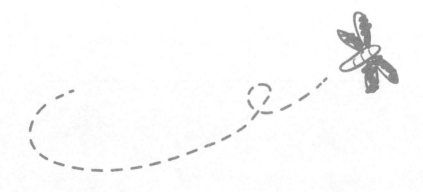

En el siguiente Reto vas a reservar en tu agenda durante esta semana de 15 a 30 minutos diarios para ti, de acuerdo a tus posibilidades.

En la siguiente tabla, lleva el registro de lo que hiciste cada día en esos minutos y en qué momento del día pudiste hacerlo. Esto te ayudará a evaluarte, conocer tu disponibilidad y poder reconocerte este logro, porque la victoria privada precede a la victoria pública... Si deseas ayudar a otros y ser líder de otros, deberás empezar por ti.

	L	M	M	J	V
Mañana					
Tarde					
Noche					

La vida es solo un instante:
abraza fuerte,
vuela despacio pero lejos,
RÍE ALTO, VIVE SIMPLE,
SUEÑA GRANDE,
AMA INTENSAMENTE,
PERDONA RÁPIDO
y nunca te detengas...
¡HAZ que ese instante valga la pena!

¿CUÁLES SON LAS TRES COSAS
QUE AGRADEZCO HOY?

NOTA DE AGRADECIMIENTO

¡La gratitud es la memoria del corazón!

Para:

ATESORO LA AMABILIDAD DE OTROS

Es fácil para el cerebro recordar las cosas negativas que suceden o las experiencias dolorosas, ya que a nivel neurológico tiene mayor impacto lo negativo que lo positivo, en una proporcionalidad de 3 a 1. Por lo mismo, es más fácil mirar los errores de los demás, lo que no nos gusta de ellos o el daño que en ocasiones nos han causado, sin embargo, el simple hecho de pensar en eso es desperdiciar tiempo y energía, es generar en nosotros rencores, enojos y malestares innecesarios. En cambio, recordar y reconocer los gestos dulces, lo bueno que otros han traído a nuestra vida, el bien que nos han hecho, es hacer uso inteligente de la libertad que tenemos para decidir en qué enfocar nuestra atención y generar oxitocina, otro químico de la felicidad que tiene la cualidad de hacernos sentir amor, seguridad, protección y serenidad.

Uno de los meses más complicados de mi vida fue cuando mi familia y yo enfermamos de Covid-19, en tiempos de una de las peores pandemias que ha enfrentado la humanidad, podría contarles todo lo que sufrimos y las innumerables complicaciones que tuvimos, pero eso lo escribí en hielo y se borró; lo que elegí escribir en piedra para perpetuar, es todo el apoyo que recibí de tanta gente, las redes sociales estaban saturadas de oración por nosotros, mi mejor amiga, Angie Peña, desde Estados Unidos me hacía llegar lo necesario y coordinaba los apoyos, algunas personas de mi equipo de la fundación nos llevaron comida y cena todos los días, Sylvia González, una gran amiga, me consiguió un especialista para mi abuelo, en medio del frío dedicó una noche a buscar medicamento que se requería con urgencia e incluso nos brindó apoyo económico, gente maravillosa que durante un mes hacía llegar a mi casa frutas, agua, suero, pasteles, flores, cirios, etc. ¡Esto fue mi gran soporte y es lo que quiero compartir y lo que he grabado en mi mente para siempre! Cada vez que lo recuerdo me siento fuerte, amada y agradecida.

Tú puedes programar de manera intencional tu cerebro para que se enfoque en lo positivo, en los actos de bondad hacia ti para provocar emociones de poder como la gratitud, la serenidad, el gozo y además valorar todo el amor que hay a tu alrededor que muchas veces pasas por alto. ¿Qué estás esperando?

 Estoy emocionada con el siguiente ejercicio que te hará apreciar el mundo con una mirada renovada. Vas a hacer un recuento de los momentos en que otros han sido amables contigo. ¡Mientras más recuerdes, los resultados serán mejores!

ES HORA DE LIMPIAR

Nuestro cuerpo está conectado con nuestra mente, por lo tanto, la salud mental y el equilibrio emocional impactan directamente en la salud física. ¡Cuida tu mente de todo virus, negatividad, saturación, incluso de la rutina, para recuperar el ánimo, la fuerza, el entusiasmo y el bienestar!

 Empieza ahora con este reto: ¡Limpieza mental en 15 días!

DÍA 1	DÍA 2	DÍA 3
Acuéstate **1** hora antes de tu hora de rutina	Un lugar nuevo, una comida, un postre nuevo. ¡Abre tu mente!	**3** horas SIN CELULAR

DÍA 4	DÍA 5	DÍA 6
Limpia tu bandeja de correo y elimina suscripciones de correos que no revises	**5** minutos de meditación	**0** quejas

DÍA 7	DÍA 8	DÍA 9
Escribe todo aquello que vale la pena en tu vida y enuméralo	Vístete y arréglate como si fuera un día muy especial	Ordena las apps de tu celular y elimina las que no usas

DÍA 10	DÍA 11	DÍA 12
10 minutos de respiración consciente durante el día	Limpia y ordena tu cuarto, ¡saca lo que no uses y regálalo a quien le sirva! Si no puedes hacerlo hoy, incluye esta actividad en tu agenda de la semana	Quítate esa mochila pesada de tus rencores y resentimientos. ¡Perdona!

DÍA 13	DÍA 14	DÍA 15
Despide a tus miedos, limpia tu mente de ellos: Lee el Salmo 23 o el 120	Haz limpieza de una parte de tu casa o de tu oficina	**15** minutos de oración

¡Empieza ahora!

CONTEMPLO LA GRANDEZA
DE LO PEQUEÑO

El **asombro** es una emoción de poder que contribuye a tu bienestar y genera químicos de la felicidad en el cerebro.

Los niños nos ponen ejemplo en esto, pues es más fácil para ellos asombrarse y eso los hace mantenerse más receptivos y aprender rápido, en cambio a nosotros nos afecta la rutina que aniquila nuestra capacidad de asombro y como consecuencia, se disminuye nuestra motivación e interés.

Es el momento de despertar el asombro y valorar la belleza de las pequeñas cosas a nuestro alrededor, reconociendo la importancia de esa sensación en la vida diaria y tomando consciencia de las cosas sutiles, por ejemplo, una brisa de aire moviendo una hoja, el reflejo del sol entre las hojas de un árbol, el abrazo inesperado de tu hijo... ¿Puedes tomar unos minutos para darte cuenta de ello y dejarte maravillar?

¿Qué es para ti el asombro?

_____

_____

_____

¿Qué objetos o recuerdos tienes, que te conectan con esa

sensación de asombro?

_____

_____

_____

¿Cuándo fue la última vez que experimentaste asombro?

_____

¿Qué sucedió?

_____

_____

El ejercicio de hoy te hará despertar, solo date la oportunidad de vivirlo:

1. Recuerda que "un experto es aquel que sabe mucho sobre muy poco"; aunque ya conozcas algo o ya hayas tenido esa experiencia, no significa que no puede sorprenderte esta vez o que no puede enseñarte algo nuevo simplemente porque estás viviendo una etapa diferente y eres una persona distinta en este momento. Quiero que dejes a un lado al experto que llevas dentro y aprecies el mundo con "mente de principiante", así que vas a elegir un momento del día y cualquier actividad que realices para practicar, aunque si quieres ser más intencional para entrenarte, te recomiendo ver una película que ya viste, leer un artículo que habías leído, escuchar nuevamente un *podcast* o, lo que es más fácil, mirar el atardecer.

2. Vas a contemplar aquello que elegiste y te harás las siguientes preguntas: ¿Qué sensaciones me provocó esta vez? ¿Qué mensaje encuentro para hoy? Te darás cuenta de que aunque veas lo mismo que ayer, tu realidad es otra ahora, tienes otras necesidades y eso te lleva a descubrir cosas diferentes. ¡Lo más asombroso del ejercicio es apreciar que has cambiado, seguramente has crecido y sabrás que cada instante es único, maravilloso y tiene el poder de deleitarte!

3. Regresa aquí a hacer tus anotaciones:

¿Qué decidiste ver con mente de principiante (sin prejuicios y como si fuera la primera vez)?

¿Qué te causó asombro descubrir?

CREO MI MOTIVACIÓN

Por años, he utilizado una práctica de crecimiento personal que consiste en regalarme unos minutos para hacer introspección, porque la reflexión es la base del aprendizaje. Dedico un momento, antes de que se termine el día, para formularme preguntas poderosas que me ayuden a reavivar mi entusiasmo. Me energiza y llena tanto este ejercicio, que no lo dejo de hacer por más cansada que pueda estar, realmente es un tesoro para mi vida y contribuye fuertemente a mi bienestar, satisfacción y resultados.

Tú puedes crear los motivos para despertar cada mañana con energía, para conquistar sueños, para mantenerte feliz, interesado, apasionado por vivir.

 Pasemos ahora al entrenamiento para que puedas crear tu motivación, ¡hazlo posible!

Durante esta semana, antes de dormir, vas a tener tu momento de reflexión utilizando estas peguntas como guía. Regálate unos minutos diarios para ti, encuentra un lugar apropiado sin ruido ni distractores y escribe el resultado de tu introspección donde corresponde. Intenta repasar tu día con cuidado, con calma y pensando en los detalles.

¿A quién pude ayudar el día de hoy?

Día 1

_____

De lo que hice hoy,
¿qué puedo mejorar?

Día 2

_____

¿A quién(es) demostré mi amor
y de qué manera?

Día 3

_____

¿Qué es lo que más
me emociona sobre mi vida?

Día 4

_____

¿Cuál fue el logro más importante
de esta semana?

Día 5

_____

Envejecer es obligatorio, crecer es opcional, ¡Te felicito por tomar el reto de crecer!

IDENTIFICO FORTALEZAS

La propuesta de la Psicología Positiva consiste en poner foco en las fortalezas y virtudes de cada persona, en lugar de derrochar los recursos en atacar sus patologías, enfermedades o debilidades. Martin Seligman destaca 24 fortalezas que están presentes en todos, en mayor o menor escala, dependiendo el nivel de desarrollo en que cada uno las tenga. Te presento las fortalezas clasificadas en 6 virtudes humanas:

SABIDURÍA	TRASCENDENCIA
Curiosidad e interés por el mundo.	Capacidad de asombro.
Amor por el conocimiento y el aprendizaje.	Gratitud.
Juicio, pensamiento crítico, mentalidad abierta.	Esperanza, optimismo, proyección hacia el futuro.
Ingenio, originalidad, creatividad.	Sentido del humor.
Perspectiva.	Espiritualidad, fe, sentido religioso.

VALOR	TEMPLANZA
Valentía.	Capacidad de perdonar, misericordia.
Perseverancia y diligencia.	Modestia, humildad.
Integridad, honestidad, autenticidad.	Prudencia, discreción, cautela.
Vitalidad y pasión por las cosas.	Autocontrol, autorregulación.
HUMANIDAD	**JUSTICIA**
Amor, capacidad de amar y ser amado.	Ciudadanía, civismo, lealtad, trabajo en equipo.
Simpatía, amabilidad, generosidad.	Sentido de la justicia, equidad.
Inteligencia emocional, personal y social.	Liderazgo.

**Para familiarizarte con este lenguaje de fortale-
zas, te invito a realizar este entrenamiento:**

1. Elige una de las siguientes películas y separa un momento adecuado para verla sin distracciones:
   - La vida es bella
   - Talentos ocultos
   - Extraordinario
   - *¡Elige la que tú quieras!*
2. Identifica en la película las 3 fortalezas más sobresalientes de los personajes principales.
3. Explica el motivo, es decir, qué hizo para que las identificaras.

PERSONAJE	FORTALEZA	ACCIONES

MIS FORTALEZAS EN ACCIÓN

Nos resulta más sencillo ver los defectos en nosotros mismos que en los demás, es común que hablemos de lo que no nos gusta, pero es cuestión de entrenar nuestra mente a mirar lo bueno y dedicarnos a cultivar nuestras fortalezas para no desgastarnos en quitar nuestras debilidades. Resulta más provechoso para nosotros caminar por lo que yo llamo el "sendero natural" y utilizar los aspectos más fuertes de nuestro ser para alcanzar nuestras metas.

Lo importante de enfocarnos en aquellos aspectos del "ser" que nos hacen fuertes es que podemos lograr más con menos esfuerzo, además de dejar nuestro sello personal en todo lo que hagamos y hacer que las fortalezas generen fruto para nosotros y para los demás.

> *El propósito de tus fortalezas es impulsarte para crecer y agregar valor a los demás, ¿qué frutos estás dando con ellas?*

Te invito a que regreses a la página anterior, elijas las 5 fortalezas que consideras que predominan en ti y escribas acciones que puedas llevar a cabo en los próximos días.

Te pongo ejemplos:

- Con la creatividad puedes pensar en una idea para mejorar un proceso en tu trabajo esta semana o para hacer un cambio en la decoración de tu casa.

- Con el liderazgo, organizar alguna actividad con tu familia o con tu equipo de trabajo.

- Con la esperanza o el optimismo puedes dedicarte esta semana a expresar frases positivas sobre situaciones que vivas, frases que comuniquen a los demás que "cosas buenas van a pasar".

- Con la vitalidad puedes aprovechar para motivar a los que te rodean, implementando por ejemplo alguna dinámica o actividad física en medio de la jornada en tu trabajo o en tu casa para activar a los demás.

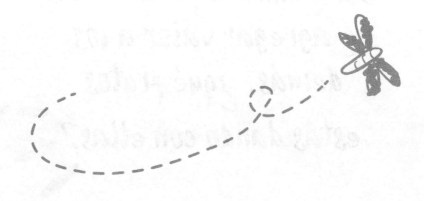

FORTALEZA	ACCIÓN	RESULTADO

si tu día está

amargo

SACÚDELO

un poco...

a veces el azúcar

está en el fondo

ESCRIBE TU FRASE MOTIVADORA
Si no estás en modo creativo, ¡búscala!

LIBERO MI MENTE

Nuestros elevados niveles de estrés se deben en gran medida a la saturación de actividades que traemos, listas y listas de pendientes, falta de prioridades, pero también a la saturación que tenemos en nuestra mente. Así como liberas espacio en tu celular, en tu computadora, es importante liberar espacio en tu mente para una mejor calidad de vida. ¡Tengo el ejercicio perfecto para eso!

Una práctica que adquirí hace años y ha traído múltiples beneficios a mi vida, me ayuda a disminuir el nivel de estrés, a ver con más claridad lo que tengo en mi mente y la mayoría de las veces incluso me sirve para avanzar en algunos temas que están pendientes.

 Para llevar a cabo este increíble ejercicio, busca un espacio adecuado, un lugar tranquilo y un tiempo aproximado de 1 hora sin distracciones. Sigue las instrucciones:

◈ Haz una pausa para entrar en un momento de consciencia e identificar las cosas que ocupan un lugar en tu mente, los temas que no han sido resueltos, cosas que te preocupan, pendientes por hacer, pendientes rezagados, todo aquello que te está inquietando en el presente, independientemente que lo pudieras traer arrastrando desde hace tiempo. Yo los llamo "círculos abiertos". Pueden ser temas de suma importancia o trivialidades que simplemente están ahí haciendo ruido en tu mente y ocupando un espacio. Te brindo algunos ejemplos de "círculos abiertos": *llamar a mi cliente para fortalecer la relación, terminar el reporte de ventas, mandar el correo para agradecer, contestar el mensaje pendiente, visitar a mis padres, definir la agenda de la junta, tener un encuentro con mi hermana para arreglar las cosas, planear el viaje, etc.*

◈ Ahora los vas a escribir uno por uno para hacerlos visibles, para "ponerlos en blanco y negro" y empezar a vaciar tu mente, quitarle la interferencia. La primera vez que lo practiques, hazlo aquí en tu libro (en la siguiente página te dejé el espacio) y si lo adoptas para hacerlo con frecuencia, puedes tener una libreta especial para eso o utilizar notas virtuales. No te limites en la cantidad ni te alarmes si descubres que son más de 100 "círculos abiertos", es normal, lo que sucede es que la mayoría de la gente deja cosas sin terminar y no han tenido la oportunidad de conocer esta valiosa herramienta para liberar su mente. Recuerda dedicarte exclusivamente a esto y asegúrate de no parar hasta concluirlo, *¡si lo dejas pendiente se convertirá en otro "círculo abierto"!*

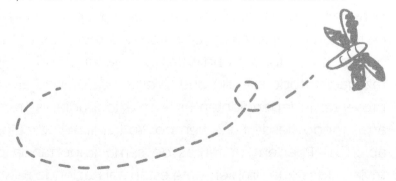

¿Por qué es tan efectiva esta práctica?

Lo que ocupa espacio en tu mente está ahí, ya que de alguna manera hay algo que falta hacer, que no se completó o que te dejó con cierta intranquilidad, sin embargo, no vas a actuar mientras no lo tengas claro. El simple hecho de anotarlo, para tu cerebro significa tomar **acción**, ¡y empiezas a provocar **alivio**! Adicionalmente, cuando lo escribes, tu cerebro siente que lo expulsó, la carga disminuye y sabes que ya no lo puedes olvidar pues está registrado.

Con esto ya logramos reducir tu nivel de estrés... ¡ahora vamos con el nivel avanzado!

◈ Revisa tu listado de "círculos abiertos" y clasifícalos en 1, 2 y 3, como te muestro en la tabla.

NÚMERO	CRITERIO	ACCIÓN
1	Lo que es más importante y urgente por su fecha de vencimiento	Asigna una fecha y hora dentro de esa semana
2	Lo que es importante pero no urgente, es decir, no necesita ser realizado en esa semana	Prográmalo, asigna una fecha y hora
3	Lo que no es importante realmente	Revisa si puedes tacharlo de tu lista

◈ Finalmente, da seguimiento al compromiso que adquiriste contigo y ve marcando los círculos abiertos que logres cerrar para generar satisfacción y producir serotonina, que es el neurotransmisor de la felicidad.

Mis círculos abiertos:　　　Número:　Fecha:

Mis círculos abiertos: Número: Fecha:

¡HOY TOCA DIVERTIRME!

En los ejercicios de mi libro te he guiado para que mantengas en tu vida las emociones de poder que te construyen y te dan recursos para ser feliz. Ahora corresponde el turno a una emoción de poder que disfrutarás y ya que seas consciente de sus beneficios, te encantará generarla de manera intencional en tu vida, estoy hablando de **la DIVERSIÓN.** La encuentras en aquello que te hace reír y te recrea, es un rayo que llega para iluminarte y un viento que refresca tu perspectiva.

Primero, quiero hablarte de la risa, que es maravillosamente relajante como una gran meditación y tiene múltiples beneficios, dentro de los que me gustaría destacar los siguientes:

- Libera endorfinas, neurotransmisores que nos hacen sentir placer.
- Se reduce el cortisol, la hormona del estrés.
- Se expanden los pulmones, estira y relaja los músculos del cuerpo y estimula la oxigenación.
- Liberas otras emociones agradables que mejoran las relaciones interpersonales.

La diversión facilita también la interacción social y la integración, por lo que es vital fomentarla en el ámbito familiar, en el matrimonio, además abre la mente y facilita el aprendizaje, por ese motivo, los modelos educativos más avanzados utilizan el juego para instalar conocimientos, así también en las empresas se prefiere estimular el desarrollo de competencias por medio de actividades que diviertan.

¡Cada persona tiene su manera de divertirse! Identifica lo que a ti te funciona y asígnale un tiempo:

- Reímos naturalmente desde los 4 meses de edad, sin embargo, reímos menos conforme vamos creciendo.

- Un niño/a de 6 a 10 años se ríe alrededor de 300 a 400 veces en el día, mientras que las personas adultas lo hacemos entre 14 y 80 veces, existiendo incluso personas que no sienten dicha necesidad.

- Hace 50 años reíamos un promedio de 15 minutos al día. Actualmente ese tiempo se ha reducido a 5 minutos, cuando la dosis recomendada debería ser de 30 minutos.

¿Cuáles son las cosas que más me divierten?

¿Cuáles fueron tus experiencias más divertidas el mes pasado?

◈

◈

◈

◈

¿Cómo vas a generar esta emoción en esta semana?
Escribe 3 cosas que realizarás:

¿Qué vas a realizar?	¿Con quiénes lo vas a compartir?	¿Cuándo?

CELEBRO MIS LOGROS

¿Acostumbras celebrar o festejar tus logros?

Celebrar implica tomarnos un momento, poner una pausa a la rutina, dejar un poco lo que estamos haciendo y organizar algunas actividades especiales para recordar o aplaudir algo que hicimos bien. No celebrar tus logros podría estar afectando tu autoestima, tu seguridad, tu capacidad de establecer mejores relaciones y tu posibilidad de alcanzar nuevos objetivos personales y profesionales.

Comprender la importancia de celebrar los logros consistente y habitualmente **HACE LA DIFERENCIA** entre las personas que se sienten estancadas en la rutina o desanimadas y aquellas que tienen motivos constantes para levantarse y luchar cada día. Visualiza y valora tus logros por más pequeños que parezcan, tus avances, tus buenas decisiones o aciertos, tus resultados satisfactorios, ¡HAZ QUE CUENTEN!

 Este Reto va a dejar huella en tu vida:

¿Cuáles fueron mis logros o avances en este último año?

Medita en silencio, si necesitas, cierra los ojos para concentrarte mejor y recordar. Sé consciente también de las sensaciones, pon atención a las imágenes que vengan a tu mente, tal vez sean escenas de tu trabajo o de tu vida personal...

Ahora, escríbelos aquí:

Ahora define: ¿Cómo vas a festejar estos logros? No hay reglas para esto y eso es lo mágico. ¡Encuentra lo que se conecte contigo!

◈ ¿Quieres celebrar solo(a), con tu familia, con alguien en especial, con amigos?

◈ ¿Con qué música te gustaría festejar, qué canciones van a enmarcar este logro?

◈ ¿Qué comida consideras especial para la ocasión? (Puede ser algo diferente, algo que te encante, puede ser un gran postre).

◈ ¿En dónde deseas celebrar? Piensa en un lugar que te inspire, te emocione, te atrape.

◈ ¿Algo adicional para el festejo? Tomarte el día libre o comprarte un regalo, etc.

◈ Finalmente, asegúrate de aplaudir, brincar, cantar o bailar, pues así como aplaudes y celebras el trabajo de alguien más, un buen concierto, un gol, puedes hacerlo contigo... ¡lo mereces!

ESCRIBO MI CARTA

Lo que más me gusta de mi físico:

Las cualidades que tengo y me encantan:

Me siento feliz por ser:

Atentamente,
La persona más importante de mi vida,

Coloca tu firma

NOTA DE AGRADECIMIENTO

¡La gratitud es la memoria del corazón!

Para:

"LA MENTE NO ES UN RECIPIENTE QUE LLENAR, SINO UN FUEGO QUE ENCENDER".

PLUTARCO

¿Cómo vas con tus "círculos abiertos"?

Este ejercicio para liberar tu mente lo hiciste en la página 209.
Revisa tus avances, ¿lograste cerrar algunos de ellos?
Escribe tu resultado, reflexión o tu nuevo compromiso:

LOS 7 PRINCIPIOS

1. **Construye hábitos positivos y saludables**

2. **HAZ TU PLAN Y ENFÓCATE CADA DÍA**

3. **TOMA DECISIONES**

4. Cultiva el aprendizaje significativo

5. **Valora y agradece lo que tienes**

6. Aplica las 3C's: Cuídate, Capacítate, Cree en ti

7. *Reconoce y celebra tus logros*

¿Cuál de estos principios necesito trabajar?
¿Qué voy a hacer?

LA FÓRMULA DE LA FELICIDAD

Si ya llegaste a esta página, lo primero que hay que hacer es celebrar con gozo un logro más, compártelo con tu familia, con tus amigos y en tus redes sociales porque vale la pena comunicar que tomaste la Felicidad en tus manos para inspirar a otros a que hagan lo mismo.

Si llevaste a cabo todos los retos y ejercicios que te pedí, estoy convencida de que hoy eres una persona más feliz, resiliente, consciente y segura; si acaso te quedaron algunas actividades por realizar, ¿qué estás esperando?

Investigaciones neurocientíficas confirman que el bienestar emocional es una habilidad, que se puede aprender, entrenar y por tanto enseñar. Los circuitos cerebrales implicados en el bienestar emocional son circuitos plásticos que cambian y que se estimulan con las repeticiones, de esa manera, por medio de nuestras acciones diarias vamos construyendo la gran obra que es nuestra vida.

Ahora que estamos llegando al final, es el momento de revelarte la **fórmula de la Felicidad** que desarrollé después de años de estudio y tras lograr la transformación de miles de personas:

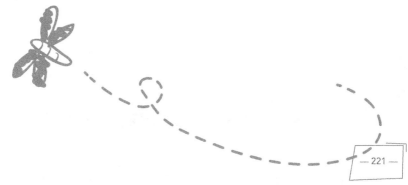

$$F = (AP + EP^n + AS) * AI$$

Donde:

AP = Atención Plena, el tiempo en el que tu **cerebro está atento**, viviendo el aquí y ahora.

EP = Emociones de Poder, emociones que podemos generar y activan con fuerza los **químicos de la Felicidad**.

AS = Aprendizaje Significativo, la capacidad que tenemos para **dar significado** a la experiencia.

n = número de veces en que puedes generar emociones de poder.

Todo lo anterior multiplicado por:

AI = Actividad Intencional, las **decisiones** que tomamos con consciencia segundo a segundo para crecer.

Estos elementos fueron eje rector de mi libro, por lo que tuviste un entrenamiento constante y una guia paso a paso para tu crecimiento, ¡fue un placer acompañarte!

Cuando hemos logrado un estado de bienestar óptimo y hemos aprendido a crear la Felicidad cada día, experimentamos una plenitud que llamamos "florecimiento"; por lo tanto, gracias a cada una de estas herramientas hoy puedes decir con gozo y firmeza:
¡LLEGÓ LA HORA DE FLORECER!

El resultado
no dependerá de los
colores que tengas,
sino de cómo los mezclas.

DINÁMICA:
EXPRESO LO QUE SIENTO

Con esta actividad puedes despertar empatía en los integrantes de un grupo que puede ser tu familia, amigos o tu equipo de trabajo, ya que les permitirá compartir con dibujos algunos sentimientos que usualmente no se expresan con palabras.

 ### ¿Qué necesitas?

Hojas blancas para cada participante (pueden ser recicladas).
Lápices negros y si deseas algunos colores.

¿Qué hay que hacer?

◈ Cada participante dobla su hoja de máquina en cuatro partes y la recorta, de manera que le quedan 4 tarjetas (esto para optimizar los recursos y no desperdiciar hojas, ¡hay que ser ecológicos!).

◈ Ahora en forma gráfica (sin palabras) cada quien representa en una de las hojas el siguiente concepto:

1. **Necesidades del grupo**

◈ Se dan 5 minutos para hacer el dibujo y se hace una ronda donde cada integrante comparte y explica lo que hizo (te recomiendo determinar un tiempo límite por participante para mantener la atención de todos y la fluidez).

◈ Terminando la primera ronda, se hacen tres más con la misma intención, reglas y secuencia, bajo los siguientes conceptos:

2. **Un reto actual**
3. **Mi rol en el grupo**
4. **Lo que valoro del grupo**

◈ Al final, puede reflexionar lo que se mostró y sacar conclusiones, o bien, compromisos de lo aprendido.

NOTA:

Si quieres hacerlo más divertido y dispones de más tiempo, la variante que puedes hacer es entregar 4 hojas de máquina a cada participante y en lugar de hacer dibujos, puedes tener revistas o periódicos viejos donde todos buscarán imágenes o palabras que transmitan el mensaje que deseen comunicar, las recortarán y pegarán en su hoja para explicarlo en su turno.

DINÁMICA: PENSAMIENTOS VITAMINA

Esta dinámica es especial para jugarse en familia, con tu grupo de amigos o tu equipo de trabajo, para propiciar la apertura, la expresión de emociones y sentimientos, además de crear un ambiente positivo.

¿Qué necesitas?

◈ Tarjetas o *post-it* con frases, pensamientos o deseos positivos que estén enumeradas (calcula que haya mínimo 3 por participante).

◈ Tarjeta en blanco y pluma para cada participante.

◈ Hoja de rotafolio o pizarrón.

En todo momento, contarás conmigo, eres muy importante para mí.

¿Qué hay que hacer?

◈ Pega las tarjetas o los *post-it* en un rotafolio o pizarrón, en un lugar visible para todos.

◈ Pide a los participantes que lean en silencio los mensajes pegados en el rotafolio o pizarrón.

◈ Da unos minutos para que puedan elegir tres de ellos, anotando en su tarjeta en blanco, el número correspondiente en base a los siguientes criterios:

1. Primero aquella que les gustaría recibir en su cumpleaños.
2. Después la tarjeta que regalarían a la persona que tienen a su derecha.
3. Por último, la que regalarían a otro integrante del grupo (especificar a quién).

◈ Pide que se acomoden en círculo y asegúrate de que todos estén sentados.

◈ Ahora es tiempo de que cada uno comparta las tarjetas que eligió y los motivos (se puede compartir en orden o cada quien de forma voluntaria, solo asegúrate de que todos lo hagan).

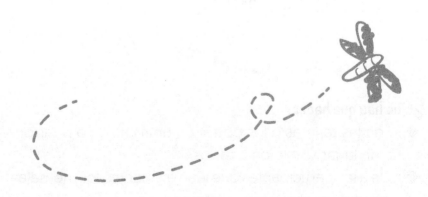

DINÁMICA: VASO MEDIO LLENO

Nuestra tendencia a la queja es alarmante y además puede llegar a ser tóxica para nosotros y para las personas que nos acompañan en el camino. Podemos decir que la queja es un proceso que surge de manera automática porque estamos acostumbrados y llegamos a tener circuitos cerebrales condicionados a esa conducta.

Sin embargo, estamos en constante evolución y todo lo que hemos aprendido, lo podemos desaprender si trabajamos constantemente en la reprogramación de nuestra mente. Necesitamos de ciertas herramientas que nos ayuden a desarrollar un enfoque positivo, desactivar los pensamientos limitantes y cultivar los potenciadores. ¡Tengo la dinámica ideal para eso!

¿Qué necesitas?

No hay necesidad de ningún material, únicamente convocar a un grupo de personas, que pueden ser tu familia, tu equipo de trabajo, o bien, tus amigos.

¿Qué hay que hacer?

1. Se prefiere que estén colocados en círculo para una mejor integración, aunque también lo podemos realizar conectados por medio de alguna plataforma tecnológica (la que sea de tu preferencia).

2. Comienza la primera ronda, donde el facilitador o moderador pide a los participantes que compartan sobre una experiencia reciente que haya sido complicada, algún momento adverso. Dejar el espacio para que cada uno comparta, dando un tiempo máximo de 1 minuto para mantener la atención de todos y la fluidez (parecerá un momento para desahogo). – Esto es lo que llamamos VER EL VASO MEDIO VACÍO y regularmente genera desánimo.

3. Después viene la segunda ronda, la más importante, donde vas a guiar a las personas a pensar diferente sobre esa misma experiencia, vas a ayudarles a cambiar la perspectiva, invitándolos a compartir sobre el mismo tema, aunque ahora les pides que contesten la siguiente pregunta: ¿Qué aprendizajes ganaste? Nuevamente los participantes van a compartir y les das un tiempo máximo de 1 minuto a cada uno. – ¡Esto es VER EL VASO MEDIO LLENO!

4. La comunicación se tornará positiva, enriquecedora y notarás incluso algunas sonrisas, emociones agradables que brotarán a partir de una experiencia desagradable, comprobando una vez más que el secreto del bienestar está en la forma en la que vemos y percibimos lo que nos pasa.

Si entrenamos nuestra mente de esta manera y llevamos a cabo esta práctica de empezar a ver el vaso medio lleno, conseguiremos gratitud, esperanza y paz.

Tú, ¿cómo ves el vaso?
Y lo más importante:
¿Qué vas a hacer para
terminarlo de llenar?

DINÁMICA:
TU TURNO PARA AGRADECER

Cuando nos dicen que la gratitud contribuye a nuestra felicidad y salud, muchas personas no saben qué o cómo agradecer porque no lo hacen de manera habitual ya sea por sus padres que no los formaron así, o bien, por estar ocupados en tantas cosas. Hay quienes sí llegan a experimentar gratitud, pero igual no se dan la oportunidad de expresarla y ser agradecidos. La gratitud que no se expresa es como el regalo que se compra, se envuelve y nunca se entrega..., no tiene sentido.

Esta dinámica tiene un efecto potente, ya que estimula a los participantes a **expresar gratitud** en todas sus formas, creando consciencia sobre lo bueno que tienen en su vida y conectando al grupo con emociones de poder. Utiliza la dinámica en algún evento, en una junta de trabajo o en una tarde de integración familiar. ¡Generará un ambiente positivo!

¿Qué necesitas?

◈ Un dado (si realizas esta dinámica en una reunión virtual puedes descargar un dado virtual).

◈ La hoja con el significado de cada número del dado, que puedes imprimir en grande para que todos la vean con facilidad o si es online puedes proyectar en la pantalla.

◈ Se prefieren grupos pequeños, máximo 10 participantes (si el grupo es más numeroso, puedes dividirlo en varios equipos).

¿Qué hay que hacer?

◈ Coloca a los participantes en círculo para lograr una mejor conexión, así se facilita el contacto visual.

◈ Decidan quién comienza y esa persona tira el dado.

◈ El número que muestre el dado determinará lo que el participante deberá agradecer:

1. Agradecimiento a alguien presente:
   "Quiero agradecer especialmente a _____ por _____ "

2. Agradecimiento por una experiencia vivida este mes: **"Me siento agradecido(a) por_____ _____ "**

3. Agradecimiento a alguien que no esté:
   "Hoy doy gracias a _____, por _____ "

4. Agradecimiento por algo que hice bien: **"Me siento agradecido conmigo por _____ _____ "**

5. Agradecimiento a Dios: **"Doy gracias a Dios por _____ "**

6. Libre (puede elegir entre cualquiera de las 5 opciones)

◈ Da un tiempo máximo de 1 minuto a cada participante para mantener la atención de todos y la fluidez.

◈ Enseguida, es turno del que está a la derecha. Cada participante tirará el dado cuando le toque "su turno para agradecer".

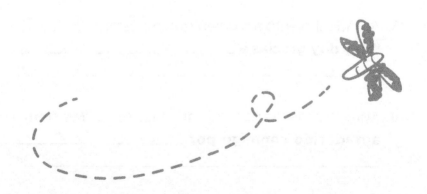

NOTA: Utilicen el texto que doy en cada uno como soporte para que se verbalice de manera completa y tenga un mayor efecto. Hay que ser específicos y compartir la razón por la que agradecemos, porque lo general no mueve, lo específico es más real, más impactante, implica pensar más y estar más conscientes. No es lo mismo decirle a tu mamá, "Gracias por la vida" a decirle "Gracias por estar conmigo el día de mi boda y darme tu bendición antes de subir al altar".

DECÁLOGO DEL BIENESTAR

Como un resumen de todo lo que te he compartido en este libro y lo que has estado ejercitando para tomar la Felicidad en tus manos, te doy el Decálogo que te servirá de guía para no perder de vista lo esencial.

¡Disfrútalo y, sobre todo, VÍVELO!

1. Elige con inteligencia en dónde enfocas tu atención.

2. Instala pensamientos útiles y creencias potenciadoras.

3. Cuida tus conductas habituales, son las que forman tu carácter.

4. Conoce tus habilidades y fortalezas; enfócate en ellas.

5. Carga todos los días tu batería.

6. Acepta lo que no te gusta y no está en tus manos cambiar; cambia lo que no te gusta y está en tus manos.

7. Considera que unas veces se gana y otras se aprende, todas las experiencias son valiosas.

8. Libérate del perfeccionismo, reconoce tus fallas y haz lo necesario para crecer y corregir.

9. Ritualiza la gratitud.

10. Construye relaciones positivas con los demás, perdona, pide perdón, escucha, comprende.

Made in the USA
Monee, IL
18 October 2023

44788206R00131